Y0-AGK-428

화

ANGER

화가 풀리면 인생도 풀린다

틱낫한 지음 | 최수민 옮김

우리의 마음은 밭이다.

그 안에는 기쁨, 사랑, 즐거움, 희망과 같은
긍정의 씨앗이 있는가 하면

미움, 절망, 좌절, 시기, 두려움 등과 같은
부정의 씨앗이 있다.

어떤 씨앗에 물을 주어 꽃을 피울지는
자신의 의지에 달렸다.

— 틱 낫 한

차 。례

화 좀 안 내고 살 수 없을까

PART 1

화가 풀리면 인생도 풀린다

PART 2

프롤로그

마음의 평화를 얻는 지혜

사람은 누구나 행복하기 위해 태어났다. 그러나 실제로 행복을 만끽하면서 사는 사람은 드물다. 행복한 사람과 그렇지 못한 사람은 표정에서 알아볼 수 있다. 행복한 사람은 늘 미소짓고 있고, 그렇지 못한 사람은 얼굴을 찌푸린다. 여기서 한번 자문해보자. 나는 늘 웃고 있는 편인가, 아니면 늘 찡그리고 있는 편인가? 자신이 전자에만 속한다고 자신할 수는 없다. 늘 웃고 있다가도 상대방의 말 한마디에 불쑥 솟는 화를 부인할 수 없기 때문이다. 그렇다면 우리는 왜 화를 내는 걸까? 무엇이 우리를 화나게 하는 걸까?

부처의 가르침에 따르면 시기, 절망, 미움, 두려움 등은 모두 우리 마음을 고통스럽게 하는 독이라 했다. 그리고 이 독들을 하나로 묶어 '화anger'라 했다. 마음속에서 화를 해독하지 못하면 우리는 절대로 행복해질 수 없다.

화는 평상시 우리 마음속에 숨겨져 있다. 그러다 외부로부터 자극을 받으면 갑작스레 마음 한가득 퍼진다. 잔뜩 화가 나 있는 사람이 있다고 가정해보자. 그의 말은 아주 신랄하며 상대방을 공격하는 말들로 이루어져 있다. 그가 쏟아내는 악담은 듣는 이를 거북하게 만든다. 그와 같은 행동은 그가 매우 고통받고 있다는 증거다. 마음 한가득 독이 퍼져 있기 때문이다. 이와 같은 사실을 이해하면 그에 대한 연민이 생기고 그의 공격적인 말에 동요되지 않을 수 있다. 결국 화란 우리 마음속의 일이므로 그것을 다스리는 것도 우리 마음속의 일이다.

화가 났을 때는 무엇보다 자신과 대화하는 것이 중요하다. 화는 날감자와 같은 것이다. 감자를 날 것 그대로 먹을 수는 없다. 감자를 먹기 위해서는 냄비에 넣고 익기를 기다려야 한다. 화도 마찬가지다. 당장 화가 났다고 감정을 주체하지 못해 괴로워하지 말고 일단 숨을 고르고 마음을 추스려야 한다. 화가 났을 때는 내 마음을 돌보는 것이 가장 중요하다. 그리고 상황을 파악하여 무엇이 나를 화나게 했는지, 상대방이 내게 화를 내는 이유는 무엇인지, 그리고 그와 내가 무엇 때문에 싸우게 되었는지 헤아려야 한다.

화는 예기치 못한 큰일을 당해 생길 수도 있지만, 대개는 일상에서 부딪치는 자잘한 문제 때문에 일어난다. 따라서 화를 다스릴 때마다 우리는 일상에서 잃어버린 작은 행복들을 다시금 되찾을 수 있다.

부처는 화를 다스리기 위해 우리에게 유용한 도구들을 전해주셨다. 의식적인 호흡, 의식적으로 걷기, 화를 끌어안기, 그와 나의 내면과 대화하기 등, 그러한 도구들을 사용하면 우리는 마음속에서 화가 일어날 때마다 현명하게 대처할 수 있다.

내가 있는 플럼빌리지에서는 이러한 것을 '씨앗을 골라 물 주기' 라고 한다. 그곳에서는 우리의 마음을 밭에 비유한다. 그 밭 속에는 아주 많은 씨앗이 있다. 기쁨, 사랑, 즐거움 같은 긍정적인 씨앗이 있는가 하면 짜증, 우울, 절망 같은 부정적인 씨앗도 있다. 우리는 자신이 가진 부정적인 씨앗이 아닌 긍정적인 씨앗에 물을 주려고 노력해야 한다. 그것이 바로 자신의 마음을 다스리는 평화의 길이며, 행복을 만드는 법칙이다.

— 틱낫한

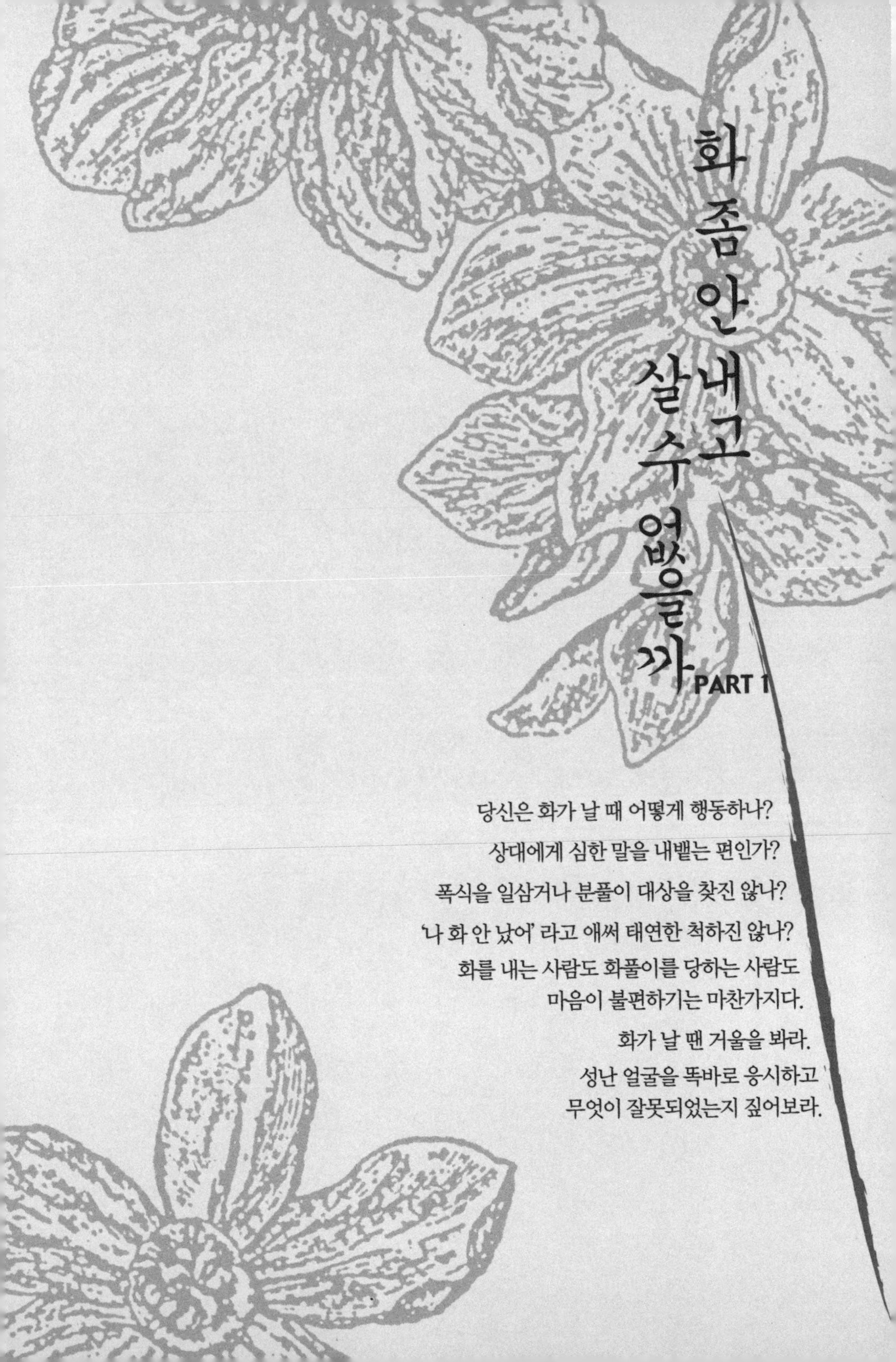

PART 1
화 좀 안 내고 살 수 없을까

당신은 화가 날 때 어떻게 행동하나?

상대에게 심한 말을 내뱉는 편인가?

폭식을 일삼거나 분풀이 대상을 찾진 않나?

'나 화 안 났어' 라고 애써 태연한 척하진 않나?

화를 내는 사람도 화풀이를 당하는 사람도
마음이 불편하기는 마찬가지다.

화가 날 땐 거울을 봐라.
성난 얼굴을 똑바로 응시하고
무엇이 잘못되었는지 짚어보라.

anger___1

눈 돌리면 화나는 것 투성이다

현대인은 누구나 화를 안고 살아간다. 화는 기쁨, 슬픔, 즐거움, 두려움 등과 같은 일상적인 감정들 중 현대인의 마음속에 가장 많이 출몰한다. 그 원인에는 타인과의 부딪힘이나 욕구에 대한 불만족, 과다한 경쟁, 잦은 스트레스 등을 먼저 꼽을 수 있겠지만, 한편으로 '먹는 것' 에서도 그 원인을 찾을 수 있다.

부처의 가르침에 따르면 우리의 몸과 마음은 별개가 아닌 하나라 했다. 몸이 곧 마음이고, 마음이 곧 몸이다. 그러므로 몸의 병이 마음의 병이 될 수 있고, 마음의 병 또한 몸의 병이 될 수 있다.

우리가 화를 내거나 절망할 때, 혹은 폭력적인 성향으로 변할 때 우리의 몸은 먹는 음식과 밀접한 관계가 있다. 분노와 폭력으로부터 스스로를 지키기 위해 먼저 식사와 소비의 전략을 세워야 하는 이유가 거기에 있다. 식사는 문명의 한 단면이다. 우리가 음식물을 재배하는 방식, 우리가 먹는 음식의 종류, 그리고 그것을 먹는 방식이 문명과 깊은 관계를 갖게 되는 것은 우리가 그것을 어떻게 선택하느냐에 따라서 평화를 가져올 수도 있고 고통을 몰아낼 수도 있기 때문이다.

우리가 먹는 음식은 우리가 화를 일으키는 데 매우 중요한 역할을 한다. 음식에 화가 들어 있는 경우가 있다. 가령 광우병에 걸린 소의 고기를 먹을 때 그 고기에는 화가 들어 있다. 계란이나 닭고기에도 엄청난 양의 화가 들어 있을 수 있다. 그럴 때 우리는 화를 먹는 셈이며, 따라서 그것을 먹고 난 다음에는 그 화를 표현하게 된다. 그러므로 우리는 모든 음식을 잘 살펴서 먹어야 한다.

요즘에는 닭이 최신 시설을 갖춘 대규모 농장에서 사육된다. 닭이 걸을 수도 없고 뛸 수도 없고 흙 속에서 먹이를 찾아 먹지도 못하고, 순전히 사람이 주는 모이만을 먹고 자란다. 늘 비좁은 우리에 갇혀 있기 때문에 전혀 움직일 수도 없고, 밤이나 낮이나 늘 서 있어야 한다. 걷거나 뛸 자유가 없는 상태를 상상해보라. 밤낮없이 한곳에서 꼼짝도 못하고 지내야 하는 상태를 상상해보라. 틀림없이 미쳐버릴 것이다. 그러므로 그렇게 사는 닭들도 당연히 미쳐버린다.

닭이 알을 더 많이 낳게 하기 위해서 농부는 인공적으로 밤과 낮을 만들어낸다. 조명등을 이용해서 낮과 밤을 짧게 만들면 닭은 그새 24시간이 지난 것으로 믿고 또다시 알을 낳는다. 그런 악순환을 반복하는 사이 닭은 결국 엄청난 화와 좌절과 고통을 안게 된다. 닭은 그 화와 좌절과 고통을 다른 닭을 공격함으로써 표현한다. 닭들은 부리로 서로를 쫀다. 그래서 피를 흘리며 죽는 닭이 무수하다. 극심한 좌절에 빠진 닭이 서로를 공격하지 못하도록 하기 위해서 농부는 닭의 부리를 잘라버린다.

그 같은 닭이 낳은 계란을 먹을 때 우리는 그 화와 좌절을 먹는 셈이 된다. 그러므로 우리는 매우 조심하지 않으면 안 된다. 그 화를 먹으면 우리가 분노하게 되고 그 화를 표현하게 된다.

우리는 행복한 닭이 낳은 행복한 계란을 먹어야 한다. 우리는 화가 난 암소에게서 짠 우유를 마셔서는 안 된다. 순리대로 자란 암소에게서 짠 유기 우유를 마셔야 한다. 그러기 위해서 우리는 농부들이 가축을 더 인간적인 방식으로 기르는 데 도움을 주도록 노력을 해야 한다. 우리는 또 유기적으로 길러진 채소를 사 먹어야 한다. 값이 더 비싸지만, 적게 먹으면 된다. 우리는 적게 먹는 법을 배워야 한다.

❋

우리는 음식을 통해서 화를 먹을 뿐만이 아니라 눈과 귀와 의식을 통해서도 화를 우리 몸에 받아들인다. 문화 상품을 소비하는 행태도 화와 연관이 있다. 그러므로 화를 막기 위해서는 먼저 소비의 전략을 세우는 것이 중요하다.

우리가 잡지에서 읽은 것이나 텔레비전에서 보는 것 또한 독성을 품고 있을 수가 있다. 그것들도 화와 좌절을 내포하고 있다. 영화는 비프스테이크와도 같다. 거기에 화가 함유되어 있을 수 있다. 그것을 먹으면 우리는 곧 화와 좌절을 먹는 셈이 된다. 신문기사나 타인들과의 대화 같은 데도 많은 화가 들어 있을 수 있다.

살다 보면 우리는 더러 외로움을 느끼고 누군가와 얘기를 나누고 싶어진다. 한 시간쯤 얘기를 하다 보면, 상대방의 말이 품고 있는 엄청난 양의 독성이 우리에게 고스란히 들어오는 경우가 있다. 그리하여 엄청난 양의 화가 우리 몸에 흡수되고, 나중에 우리가 그것을 표현하게 된다. 우리가 모든 형태의 소비를 자각적으로 해야 한다는 것이 매우 중요한 이유가 바로 이것이다. 방송에서 뉴스를 들을 때, 신문기사를 읽을 때, 어떤 문제를 놓고 타인들과 대화를 할 때, 우리는 마치 아무 생각도 없이 아무 음식이나 먹는 것처럼 행동하지는 않는지 늘 유의해야 한다.

anger___2

많이 먹어도 화는 풀리지 않는다

슬픔과 절망을 잊으려고 먹는 것을 도피처로 삼는 사람들이 있다. 과식은 소화계통에 장애를 일으킬 수 있고, 그리하여 화를 일으킬 수 있다. 과식을 하면 에너지가 너무 많이 생산된다. 이 과도한 에너지를 제대로 처리하지 못하면 분노의 에너지, 섹스의 에너지, 폭력의 에너지로 변할 수 있다.

적게 먹을 때 우리는 제대로 먹을 수 있다. 우리가 매일 먹는 양의 절반만으로도 충분하다. 잘 먹기 위해서는 음식물을 열다섯 번쯤 차근차근 씹은 뒤에 삼켜야 한다. 그렇게 천천히 먹으면, 음식이 입 안에서 액체가 될 때까지 씹으면, 창자에서 영양소가 훨씬 더 많이 흡수될 수 있다. 많이 먹기만 할 뿐 소화가 되지 않아서 애를 먹는 사람들을 생각해보라.

먹는다는 것 자체가 하나의 깊은 수련이다. 나는 음식을 한 입

한 입 아주 천천히 즐기면서 먹는다. 그 음식을 자각하고, 내가 지금 음식을 먹고 있다는 사실을 자각한다. 우리는 이런 행동을 수련을 통해서 익힐 수 있다. 무엇보다도 음식을 즐기면서 아주 신중하게 씹어서 먹어야 한다. 그리고 이따금 쉬어가면서 같이 앉은 사람들과 얘기를 나누면 더욱 즐거워질 것이다. 아무 근심걱정도 하지 않고 편안한 마음으로 앉아서 천천히 음식을 음미하면 그 시간이 참으로 놀랍다는 기분이 들기도 한다. 자각적으로 음식을 먹을 때 우리는 화와 불안을 섭취하지 않게 된다. 더욱이 남이 정성스레 만든 음식이라면 그 즐거움은 더욱 커질 것이다.

음식이 입 안에서 거의 액체가 되면 그 맛을 더욱 강하게 느낄 수 있다. 그러기 위해서는 정신을 집중해서 입의 움직임을 낱낱이 자각해야 한다. 그러면 음식의 참맛을 음미할 수 있다. 버터나 젤리를 바르지 않은 바싹 마른 빵에서조차 깊은 맛을 느낄 수 있다. 또 흔히는 우유를 곁들여 마실 것이다. 나는 우유를 절대로 마시질 않는다. 나는 우유를 씹어서 먹는다. 입에 빵 한 조각을 넣고 정신을 집중해서 씹다가 우유를 숟가락으로 떠서 입에 넣는다. 그리고 우유를 의식적으로 빵과 함께 씹는다. 그 맛이 얼마나 깊고 좋은지, 경험하지 않은 사람들은 아마도 모를 것이다.

음식이 침과 섞여서 액체가 되면 이미 절반은 소화가 된 셈이다. 그 음식이 위와 창자에 도착했을 때는 소화가 지극히 쉽게 이루어진다. 그리하여 영양소의 대부분이 체내로 흡수된다. 그렇게 음식을 씹을 때는 커다란 기쁨과 자유로움을 느끼게 된다. 그리고 그런 방식으로 음식을 먹으면 자연히 적게 먹게 된다.

손수 음식을 차려 먹을 때는 눈을 조심해야 한다. 절대로 눈을 믿어서는 안 된다. 과식을 하게 만드는 주범이 바로 눈이다. 우리는 눈이 원하는 만큼 먹을 필요가 없다. 음식을 의식적으로 먹는 것을 익히면 눈이 원하는 만큼의 절반만을 먹고도 얼마든지 견딜 수 있다. 호박이나 당근이나 빵이나 우유 같은 간단한 음식을 그저 천천히 잘 씹어서 먹는 것이 일생 최대의 식사가 될 수도 있다. 그것은 참으로 경이로운 경험이다.

프랑스에 있는 우리의 수련센터 플럼빌리지Plumvillage의 사람들은 이처럼 매우 의식적으로, 매우 천천히, 음식을 씹어 먹는 수련을 오랫동안 해왔다. 여러분도 그렇게 해보길 바란다. 그러면 우선 몸에서 좋은 변화가 일어날 것이고, 따라서 마음에서도 의식에서도 기분이 아주 좋아질 것이다.

우리의 눈은 위보다 더 크다. 그러므로 우리는 의식의 에너지로 눈을 길들여서 우리에게 꼭 필요한 만큼의 음식이 어느 정도인지를 알아야 한다. 중국에서는 수도승들이 사용하는 밥그릇을 바리때라고 부르는데, 이것은 '적당한 양을 재는 그릇'이라는 뜻이다. 우리도 그러한 밥그릇을 사용하면 눈에게 기만당하는 것을 방지할 수 있을 것이다. 그 그릇을 채우는 만큼이면 누구에게나 충분한 양이 된다. 그와 같은 방식으로 음식을 먹으면 음식을 사는 데 비용을 적게 쓰게 된다. 비용이 적게 들면 조금 값이 비싸더라도 유기농으로 재배된 음식을 살 여유가 생긴다. 우리는 누구나 그것을 쉽게 실천할 수 있다. 또한 그것은 유기농 재배로 생계를 꾸리고자 하는 농부들에게 커다란 도움을 주게 된다.

다섯 가지 자각 훈련

우리는 누구나 남을 사랑하고 섬기고자 하는 의지에 바탕을 둔 식생활을 실천해야 한다. 그러자면 먹는 데서도 지성을 발휘해야 한다. 다섯 가지 자각 훈련은 세계와 우리 개인의 고통을 덜어내기 위한 비결이다(부록 B를 볼 것). 하루하루 우리의 소비 행태를 깊이 반성하는 것이 곧 이 다섯 가지 자각 훈련을 실천하는 셈이 된다.

이 자각 훈련은 의식적인 소비의 실천, 개인과 사회를 자유롭게 할 수 있는 식생활의 실천에 관한 것이다. 무의식적인 소비로 인해서 빚어지는 폐해를 직시하면 우리는 다음과 같은 각오를 하게 된다.

❋

"…… 먹고 마시고 소비하는 것을 자각함으로써 나 자신과 가족과 사회의 정신적 육체적 건강을 증진할 것이다. 나는 나와 나의 가족과 사회의 몸과 마음속에 평화와 복지와 기쁨을 가져다 줄 것들만을 먹으리라고 다짐한다. 나는 술이나 마약처럼 사람의 정신을 혼미하게 만드는 것을 사용하지 않을 것이며, 독소가 들어 있는 음식이나 TV프로그램, 영화나 잡지, 책을 외면할 것이고, 그러한 대화도 하지 않을 것이다…….”

❋

화와 좌절과 절망을 처리하고자 한다면 이 자각 훈련에 따르는 삶을 고려해보는 것이 좋겠다. 술을 의식적으로 마시면 술이 고통을 자아낸다는 것을 알 수 있다. 술을 마시면 몸과 마음에 병이 일어나고, 길에서 사고를 당할 수도 있다. 술의 제조 자체가 고통의 씨앗을 포함하고 있다. 술을 만드는 데 곡물이 소비되는 만큼 세계의 식량부족 사태가 늘어난다. 먹고 마시는 것을 자각하면 이 같은 사실이 훤히 들여다보이게 된다.

의식적인 소비를 위해서는 구체적으로 무엇을 어떻게 해야 할 것인지를 놓고 사랑하는 사람들과 토론을 하자. 어린이라고 해서 무시해서는 안 된다. 어린이도 이것을 이해할 수 있기 때문에 당연히 그들과도 같이 토론을 해야 한다. 무엇을 먹을 것인지, 무엇을 마실 것인지, 어떤 텔레비전 프로그램을 볼 것인지, 어떤 내용의 대화를 할 것인지를 그들과 함께 토론해서 결정하도록 하자. 이것은 바로 우리 자신을 보호하기 위한 전략이다.

우리는 우리가 소비하는 모든 것들을 주의깊게 살피지 않고서는 화의 정체를 알 수 없고, 그것을 처리할 수도 없다. 화는 우리가 소비하는 것들과 상관없이 발생하는 것이 아니기 때문이다. 플럼빌리지에서 수련하는 사람들은 저마다 자신을 보호하고 집단 전체를 보호하기 위해서 최선의 노력을 다한다. 그들은 화와 좌절과 절망을 키우는 것을 절대로 소비하지 않는다. 소비를 더 자각적으로 하기 위해서는 무엇을 먹을 것인지, 어떻게 먹을 것인지, 어떻게 하면 음식물을 사는 데 돈을 적게 쓰고 고품질의 음식물을 살 수 있을 것인지를 놓고 정기적으로 토론을 하는 것이 좋다. 이것은 감각기관을 통해서 소비하는 것들에 대해서도 마찬가지다.

anger — 3

화가 날수록 말을 삼가라

어떤 사람이 우리를 화나게 하는 말이나 행동을 하면 우리는 고통을 받는다. 그리하여 우리는 그 사람에게 고통을 줄 말이나 행동을 하려 한다. 그러면 우리의 고통이 줄어들 것이라고 생각한다. "그대로 갚아줄 거야. 네가 내게 고통을 주었으니까 나도 너한테 고통을 줄 거야. 네가 나보다 더 고통스러워하는 걸 보면 난 기분이 훨씬 좋아질 거야."

많은 사람들이 이처럼 어리석은 생각을 하고 그 생각을 행동으로 옮기려는 경향이 있다. 그러나 사실은 그렇지가 않다. 내가 남의 마음을 아프게 하면 그 사람은 더욱 더 나의 마음을 아프게 함으로써 위안을 얻으려고 할 것이다. 그리하여 쌍방 모두가 갈수록 더 마음이 아파질 뿐이다. 그들에게 필요한 것은 애정과 도움이다. 어느 쪽도 앙갚음을 반복해서는 안 된다.

어떤 사람이 나의 마음을 아프게 해서 화가 치밀었을 때는 자신의 마음을 돌아보고, 자신의 화를 세심하게 보살펴야 한다. 그에게 무슨 말을 하거나 행동을 해서는 안 된다. 화가 치밀어오른 상태에서 섣불리 말하거나 행동하게 되면 그 사람과의 관계가 더욱 악화될 뿐이다. 그러나 대다수의 사람들이 그렇게 하질 못한다. 자신의 마음속을 돌아보려 하지 않는다. 그저 상대방에게 앙갚음을 하려 들 뿐이다.

만약 당신의 집에 불이 났다고 쳐보자. 그러면 당신은 무엇보다 먼저 그 불을 끄려고 해야 한다. 방화범의 혐의가 있는 자를 잡으러 가서는 안 된다. 만약 집에 불을 지른 걸로 의심 가는 자를 잡으러 간다면 그 사이에 집이 다 타버릴 것이다. 그것은 어리석은 짓이다. 당연히 먼저 불부터 끄고 봐야 한다. 화가 치밀었을 때도 마찬가지다. 당신을 화나게 한 상대방에게 앙갚음을 하려고 계속 그와 입씨름을 한다면, 그것은 마치 불이 붙은 집을 내버려두고 방화범을 잡으러 가는 것과 마찬가지 행동이다.

❋

다행히 부처는 우리에게 우리 안의 불을 끄기 위한 매우 효과적인 도구들을 주셨다. 의식적인 호흡, 의식적으로 걷기, 화를 끌어안기, 우리의 지각의 본성을 깊이 들여다보기, 타인의 내면을 깊이 들여다봄으로써 그 사람도 많은 고통을 당하고 있으며 도움을 필요로 하고 있음을 깨닫는 것 등이 그것이다. 이 같은 방법들은 매우 실질적인 것이고, 그 모두가 부처가 우리에게 직접 전해준 것이다.

의식적으로 숨을 들이쉬면 공기가 몸 안으로 들어오는 것을 알게 되고, 의식적으로 숨을 내쉬면 몸 안에서 공기가 바뀌는 것을 알게 된다. 따라서 공기와 몸을 자각하게 되고, 한편 마음도 그 모든 것을 알기 때문에 자신의 마음까지 자각하게 된다. 그렇게 단 한 번만 의식적으로 호흡을 하면 자기자신과 주위에 있는 모든 것을 자각하게 되고, 세 번 반복하면 그 자각을 유지할 수 있게 된다.

우리는 서 있거나 앉아 있거나 누워 있지 않을 때는 늘 걷는다. 그러나 어디로 걸어가고 있는지? 걸음을 옮길 때마다 우리는 이미 목적지에 도착한 셈이다. 한 걸음을 디딜 때마다 우리는 현재의 순간에 도착할 수 있고, 정토 혹은 신의 왕국으로 들어설 수 있다. 발이 땅에 닿는 그 순간을 자각하고, 또 호흡을 자각하면서 걸어보라. 그러면 한 번의 들숨 혹은 날숨 동안에 몇 걸음을 편안하게 걸을 수 있는지 알 수 있다. 숨을 들이쉴 때는 "인in"이라고 말하고, 내쉴 때는 "아웃out"이라고 말해보라. 그러면 걸으면서 명상을 하는 것, 즉 보행 명상을 하게 된다. 그것이 습관이 되게 하라. 그것은 우리가 언제든지 실천할 수 있는 것이고, 따라서 우리의 삶을 바꿔놓을 힘을 갖고 있다.

수많은 사람들이 갖가지 정신적 전통에 관한 다양한 책을 읽고 의식을 치르지만, 그러나 그 가르침들을 충실히 실천하는 사람은 드물다. 우리가 그 어떤 정신적 전통 혹은 종교를 믿건 간에, 그 가르침은 우리가 제대로 실천하기만 하면 우리를 변화시킬 수 있다. 우리의 마음은 불의 바다에서 쾌적한 호수로 변할 수가 있다. 그리하여 우리 자신이 고통에서 벗어날 수 있을 뿐만 아니라 주위의 모든 사람들에게 기쁨과 행복을 가져다 줄 수 있다.

anger___4

성난 얼굴을 거울에 비춰보라

화가 치밀 때마다 거울에 자신의 얼굴을 비춰보라. 화가 났을 때는 얼굴이 일그러지며, 남에게 보여주기도 민망한 꼴이 된다. 수백 개의 안면 근육이 극도로 긴장되기 때문이다. 자신의 얼굴이 마치 곧 폭발하려는 폭탄처럼 보일 것이다. 더군다나 붉으락푸르락 잔뜩 화가 난 얼굴은 보는 이로 하여금 더럭 겁이 나게 한다. 화가 난 얼굴은 타인에게 위협적인 것은 물론, 스스로도 매우 흉하게 느껴진다. 따라서 화가 몹시 났을 때는 얼른 거울에 자신의 얼굴을 비춰보는 것이 마음을 진정시키는 데 매우 유익하다. 그것은 자각을 일깨우는 종소리와도 같은 것이다.

그렇게 자기의 얼굴을 들여다보면, 그 얼굴을 바꾸기 위해서 무언가를 해야겠다는 동기가 유발된다. 어떻게 하면 얼굴을 바꿀 수 있는지는 쉽게 알 수 있을 것이다. 화장품 같은 것은 필요없다. 그저 평안하고 침착하게 호흡을 하고, 의식적으로 미소를 짓기만 하면 된다. 한두 번만 그렇게 하면 당장에 얼굴이 달라질 것이다. 거울을 들여다 보면서 차분하게 숨을 들이쉬고 미소를 지으면서 숨을 내쉬기만 하면 이내 마음이 편안해지는 것을 느낄 것이다.

화는 정신적이고 심리적인 현상이지만, 생물학적 또는 화학적 요인들과도 밀접한 관련을 맺고 있다. 화는 근육을 긴장시키지만, 그러나 의식적으로 미소를 짓고 웃으려 애쓰면 근육이 이완되고 화가 사그라드는 것을 감지할 수 있다. 미소는 우리의 몸 안에서 자각의 에너지가 생성되게 함으로써 자신의 화를 스스로 끌어안고 보듬을 수 있도록 이끌어준다.

옛날에 왕과 왕비의 하인들은 늘 거울을 가지고 다녔다고 한다. 언제 어느 순간에 불려갈지 모르기 때문에 늘 자신의 모습을 잘 가꾸어두어야 했던 것이다. 요즘에도 손가방 속에 작은 거울을 넣어 가지고 다니는 사람들을 흔히 만날 수 있다. 여러분도 그렇게 하면 평상심을 유지하는 데 큰 도움을 얻을 수 있다. 거울을 늘 가지고 다니다가 자신의 얼굴이 어떤 상태인지를 자주 살펴보라. 몇 번 의식적으로 호흡을 하고 의식적으로 미소를 짓고 나면 얼굴의 긴장이 풀려 있을 것이고, 따라서 마음도 그만큼 더 편안해져 있을 것이다.

❋

화는 마치 우는 아기와 같다. 아기가 우는 것은 무엇인가가 불편하고 고통스러워서일 것이고, 그래서 엄마의 품에 안기고 싶어한다. 우리는 화라는 아기의 어머니다. 의식적인 호흡을 실천하기 시작하는 그 순간에 우리에게는 그 아기를 품에 안고 어르는 어머니의 에너지가 생긴다. 화를 품에 끌어안은 채 의식적으로 숨을 들이쉬고 내쉬기만 해도 그것으로 충분하다. 아기가 이내 편안함을 느낄 것이다.

식물은 햇빛에서 영양을 얻는다. 식물은 햇빛에 민감하다. 햇빛의 품에 안긴 식물은 반드시 변화한다. 꽃은 이른 아침에는 아직 벌어지지 않는다. 그러나 해가 뜨면 햇빛에 꽃을 감싸고 그 안으로 들어가려고 한다. 햇빛은 광자라고 불리는 작은 미립자로 이루어져 있다. 이 광자가 천천히 꽃 속으로 들어가서 이윽고 꽃을 가득 채운다. 그러면 꽃은 더이상 감당을 할 수가 없어서 마침내 잎을 벌린다.

똑같은 방식으로 모든 정신적 생리적 작용들도 자각에 대해서 매우 민감하다. 자신의 몸을 자각하고 있을 때는 그 몸에서 변화가 일어난다. 화와 절망을 스스로 자각하고 있을 때는 그 화와 좌절에도 변화가 일어난다. 부처의 가르침과 우리 자신의 경험에 의할 것 같으면, 자각의 에너지는 모든 것을 다 변화시킬 수 있다.

우리의 화는 꽃과도 같은 것이다. 처음에는 화의 본성을, 다시 말해서 화가 일어난 이유를 이해하지 못할 수도 있다. 그러나 자각의 에너지로 화를 감싸안는 법을 배우고 나면, 화라는 꽃이 봉오리를 터뜨리게 된다. 가만히 앉아서 호흡에 정신을 집중하거나 보행 명상을 하면 자각의 에너지가 일어나서 화를 감싸안게 된다. 그렇게 10분이나 20분쯤 지나면 화가 그 속을 드러내보일 것이고, 그리고 어느 순간에 갑자기 그 실체가 드러날 것이다.

anger___ 5

감정을 추스리는 데는 시간이 필요하다

화라는 꽃이 봉오리를 열게 하기 위해서는 상당한 시간 동안 자각 상태를 유지해야 한다. 그것은 마치 감자를 삶는 것과도 같다. 감자를 삶기 위해서는 감자를 냄비에 넣고 뚜껑을 덮고 불 위에 올려놓는다. 그러나 아주 센 불이라고 하더라도 5분 만에 꺼버리면 감자가 제대로 익지 않는다. 감자를 충분히 익히기 위해서는 적어도 15분이나 20분쯤 가열을 해야 한다. 그리고 냄비 뚜껑을 열면 잘 익은 감자의 향기로운 냄새가 피어난다.

화도 감자와 꼭 마찬가지다. 시간을 들여서 충분히 익혀야 한다. 처음에는 화도 날감자와 같다. 우리는 날감자를 그대로 먹지 않는다. 화는 우리가 즐길 만한 것이 아니지만, 그러나 잘 처리하는 방법을 배우면, 다시 말해서 감자를 익히듯이 잘 요리하는 방법을 배우면, 그 부정적인 에너지가 이해와 애정이라는 긍정적인 에너지로 변할 것이다.

이것은 누구나 할 수 있는 일이다. 위대한 존재만이 할 수 있는 일이 결코 아니다. 누구나 화라는 쓰레기를 애정이라는 꽃으로 바꿀 수 있다. 우리 대다수는 불과 15분 안에 이 일을 해낼 수 있다. 그 비결은 호흡과 보행과 늘 자각하는 것이다. 그러면 자각의 에너지가 발생해서 화를 감싸안게 된다.

그윽한 마음으로 화를 감싸안아야 한다. 화는 우리의 적이 아니라 우리의 아기다. 화는 우리의 위장이나 폐와도 같다. 위장이나 폐에 질환이 있다고 해서 우리는 그것을 떼어버릴 수 없다. 화도 마찬가지다. 우리가 화를 받아들이는 것은 그것을 잘 보살필 수 있다는 것을, 긍정적인 에너지로 바꿀 수 있다는 것을 명심하고 있기 때문이다.

❋

유기농법으로 채소를 가꾸는 사람은 쓰레기를 그냥 내버리지 않는다. 그는 쓰레기라는 것이 그저 버려야 할 게 아니며 그것을 가지고 비료를 만드는 방법을 안다. 그 비료가 상추가 되고 오이가 되고 배추가 된다. 쓰레기가 다시 꽃으로 피어나는 것이다. 모든 수련자들은 말하자면 농부다. 그것도 유기농법으로 재배하는 농부다.

화와 사랑은 둘 다 유기적인 성질을 갖고 있다. 이것은 두 가지가 서로 뒤바뀔 수 있다는 뜻이다. 사랑은 증오로 변할 수 있다. 이 사실은 누구나 알고 있다. 부부의 경우 누구나가 처음에는 위대한 사랑으로, 너무도 강한 사랑으로 시작했을 것이다. 사랑이 너무 강렬해서 서로가 서로에게 없다면 살아갈 수가 없다고 믿었던 부부들도 있을 것이다. 그러나 자각을 실천하지 않으면, 불과 한두 해 만에 그 사랑이 증오로 변할 수 있다. 그리하여 처음과는 완전히 반대되는 감정을 갖게 되고, 참으로 끔찍한 심정을 느끼게 되며, 더이상 같이 살 수가 없게 되어서 이혼만이 유일한 해결책이 되는 경우가 흔히 있다. 사랑이 증오로 변한 것이다. 꽃이 쓰레기가 된 것이다. 그러나 자각의 에너지가 온몸에 충만해 있다면, 그 쓰레기를 가만히 들여다보면서 "난 두렵지 않아. 나는 이 쓰레기를 다시 사랑으로 바꾸어놓을 수 있어."라고 말할 수가 있다.

두려움과 절망과 증오 등의 쓰레기 같은 감정을 안고 있다 하더라도 겁을 내어서는 안 된다. 훌륭한 유기농법 농부가 그러한 것처럼, 훌륭한 수련자는 얼마든지 거기에 대처할 수 있다. "나는 내 안에 쓰레기가 가득 있다는 걸 잘 알아. 나는 그 쓰레기를 기름진 거름으로 바꾸어서 사랑이 다시 피어나게 할 거야."라고 다짐해보라.

수련에 자신이 있는 사람들은 어려운 관계로부터 도망칠 생각을 하지 않는다. 호흡과 보행과 좌정과 식사 등의 모든 행위를 의식적으로 하는 기법을 익혀서 실천하면, 자각의 에너지를 발생시킬 수 있고 그 에너지가 화와 좌절을 감싸안게 할 수 있다. 그저 감싸안는 것만으로도 커다란 위안을 얻을 수 있다. 그 감싸안음을 지속적으로 실천하면 화의 실체를 깊이 들여다볼 수 있다.

그 실천에는 두 가지 단계가 있다. 첫 번째는 화를 감싸안아서 그 실체를 깊이 확인하는 것이다. 두 번째는 화의 실체를 깊이 들여다봄으로써 그것이 어떻게 해서 생겼는지를 파악하는 것이다.

anger___6

화는 보살핌을 간절히 바라는 아기다

화를 감싸안기 위해서 우리는 아기의 울음소리에 귀를 기울이는 어머니가 되어야 한다. 부엌에서 일을 하고 있다가 아기가 우는 소리를 들으면 어머니는 당연히 하던 일을 그만두고 아기를 달래러 간다. 맛있는 수프가 거의 다 되어가고 있던 참이라 하더라도 어쩔 수가 없다. 수프도 중요하지만, 아기를 달래는 것만큼 중요한 일이 될 수 없다. 그래서 어머니는 수프야 어찌 되건 말건, 얼른 아기한테 간다. 어머니가 나타났다는 사실은 아기에게는 햇빛을 만난 것과 다름없다. 어머니의 마음에는 온정과 관심과 자애가 가득하기 때문이다.

어머니는 먼저 아기를 들어올려서 품에 안는다. 그리고 아기를 품에 안은 어머니의 에너지가 아기의 몸 속으로 들어가서 아기를 달랜다. 이것이 바로 마음속에서 화가 차오를 때 우리가 취해야 할 행동이다. 그럴 때 우리는 하던 일을 당장 중단해야 한다. 그 순간에 가장 중요한 것은 자신에게 돌아가서 화라고 하는 아기를 달래는 것이기 때문이다. 아기를 달래는 것보다 더 시급한 일은 아무것도 없다.

어린 시절에 몸에서 열이 나던 때를 기억해보자. 누군가가 약을 먹여주어도 아무 소용이 없었고, 다만 어머니가 와서 이마에 손을 얹어주었을 때에야 비로소 열이 내리는 것 같은 기분이 들지 않았던가? 그 기분! 어머니의 손이 마치 여신의 손처럼 느껴졌으리라. 어머니의 손이 닿는 그 순간에 생기와 사랑과 온정이 몸에 스며드는 것을 느꼈으리라. 그 어머니의 손이 바로 나 자신의 손이다. 호흡을 낱낱이 자각하는 것이 습관이 되면 어머니의 손이 아직도 나의 마음속에 살아 있게 된다. 나의 손을 나의 이마에 얹으면 그 손이 곧 어머니의 손이란 것을 느끼게 되고, 어머니의 사랑과 자애의 에너지와 똑같은 에너지를 나 자신에게서 느끼게 된다.

아기를 품에 안은 어머니는 자기가 지금 아기를 안고 있다는 사실을 자각한다. 그리고 온 정신을 아기에게 집중한다. 아기는 어머니의 품에 포근하게 안겨 있기 때문에 평온을 느낀다. 마치 햇빛이 꽃을 포근하게 감싸고 있는 것과도 같다. 어머니가 아기를 품에 안고 있는 것은 단지 안아주기 위해서가 아니라 아기에게 무슨 고충이 있는지를 알아내기 위해서다. 그리고 어머니는 아기가 무엇 때문에 울었는지를 이내 알게 된다. 세상의 모든 어머니는 자신의 아기에 관한 한 최고의 전문가이기 때문이다.

수련자로서 우리도 아기의 어머니처럼, 화에 관한 전문가가 되어야 한다. 화의 칭얼거림에 귀를 기울여야 하고, 화의 뿌리는 무엇이며 어떻게 작용하는지를 충분히 알 때까지 수련을 해야 한다.

아기를 의식적으로 품에 안고 있는 어머니는 아기의 고충이 무엇인지를 이내 알고, 그 문제를 해결해준다. 아기의 몸에 열이 있으면 열을 식히는 약을 먹인다. 배가 고파서 울었다면 따뜻한 우유를 먹인다. 기저귀가 너무 꽉 죄인 게 문제였다면 기저귀를 풀어준다.

우리도 그 어머니처럼 해야 한다. 화라는 우리의 아기를 의식적으로 품에 안고서 달래야 한다. 의식적인 호흡과 보행은 화를 잠재우는 자장가다. 어머니의 사랑의 에너지가 아기의 아픔의 에너지를 삭이는 것과 마찬가지로 자각의 에너지가 화의 에너지를 삭이게 된다. 호흡과 미소와 보행 명상을 의식적으로 실천하는 것을 몸에 익히면 5분이나 10분이나 15분 안에 마음이 평온해질 수 있다.

anger___7

화가 났을 때 남의 탓을 하지 마라

화가 치미는 순간에 우리는 대개 그 원인을 타인에게 돌리기가 쉽다. 자신이 당하는 모든 고통이 다 남들 때문에 빚어진 것이라고 믿으려 한다. 그러나 자세히 들여다보면 바로 자기 안에 들어 있던 어떤 화의 씨앗이 고통을 일으킨 주요 원인이라는 것을 이내 알 수 있다.

똑같은 상황에서도 전혀 화를 내지 않는 사람들이 있다. 똑같은 말을 듣고 똑같은 일을 당했어도 냉정을 잃지 않고 흥분하지 않는 사람들이 있다. 그런데 너무도 쉽게 화를 내는 사람들도 있다. 이유가 무엇일까? 그것은 그 사람의 내면에 들어 있는 화의 씨앗이 너무 크기 때문이며, 화를 보살피는 방법을 훈련하지 않았기 때문에 기회가 있을 때마다 그 씨가 더욱 커져왔던 것이다.

우리는 누구나 의식의 깊은 곳에 화의 씨를 갖고 있다. 그런데 사람에 따라서는 화의 씨가 가령 사랑이나 이해 같은 다른 감정의 씨보다 훨씬 더 큰 경우가 있다. 화의 씨가 더 큰 것은 그것을 다스리는 훈련을 해오지 않았기 때문이다. 자각의 에너지를 길러내기 시작하면, 우리의 고통이나 불행의 원인이 타인들이 아니라 우리의 내면에 들어 있는 화의 씨앗이라는 사실을 맨 먼저 통찰하게 된다. 타인들은 단지 부차적인 원인일 뿐이라는 것을 깨닫는 것이다.

그러한 통찰에 이르면 커다란 위안이 오고 기분이 훨씬 좋아진다. 그러나 그 같은 통찰을 얻기 위한 수련을 하지 않았기 때문에 아직도 지옥을 헤매는 사람들이 있다. 자신의 화를 보살필 수 있는 사람의 눈에는 화로 인해서 고통을 받는 사람들이 확연히 구별된다. 따라서 그러한 사람들에게 관심을 돌려주어야 한다.

❋

화를 처리하는 방법을 모르는 사람은 그 화를 주위 사람들에게 쏟아붓게 된다. 어떤 사람이 고통스러워하는 것을 보면 그의 주위에 있는 사람들도 고통스러워진다. 그것은 매우 자연스러운 일이다. 자신의 화를 주위 사람들에게 퍼뜨리지 않기 위해서라도 우리는 화를 처리하는 방법을 배워야 한다.

예를 들어서, 한 가정의 가장인 사람은 식구들의 안녕이 무엇보다도 중요하다는 사실을 잘 알 것이다. 그는 자신의 고통으로 인해서

식구들마저 상처받는 것을 원하지 않을 것이다. 그래서 그는 자신의 고통을 처리하는 방법을 배울 것이다. 그의 고통은 그 개인만의 고통으로 그칠 수가 없기 때문이다. 마찬가지로, 그의 행복도 그 자신만의 행복으로 그치지 않을 것이다.

몹시 화가 났지만 그 화를 처리하는 방법을 모르는 사람은 어쩔 수 없이 고통을 당하게 된다. 그는 또 주위 사람들마저도 고통스럽게 만든다. 우리는 그러한 사람은 응징을 받아야 마땅하다고 생각한다. 그 사람 때문에 나까지 고통을 받았기 때문에 당연히 그에게 벌을 주고 싶어한다. 그러나 10분이나 15분쯤 의식적으로 호흡을 하고 걸음걸이를 자각하면, 그 사람은 응징이 아니라 도움을 받아야 할 사람이라는 것을 깨달을 수 있다. 그가 나에게 매우 가까운 사람일 경우, 내가 돕지 않는다면 누가 그를 도울 것인가?

자신의 화를 끌어안을 줄 아는 사람은 타인들이 고통을 당하는 걸 보면 마음이 아파진다. 이 새로운 안식이 그 사람을 돕고자 하는 마음을 불러일으킨다. 내가 아니면 아무도 그 사람을 도울 수가 없다고 하는 마음이 가슴속 깊은 곳에서 피어오른다. 그리하여 그 사람에게 다가가서 돕고자 하는 열망이 가득해진다. 이것은 예전과는 완전히 다른 생각이다. 이제는 그 사람을 응징하고자 하는 마음이 전혀 없다. 화가 연민의 정으로 바뀐 것이다.

자각은 집중과 통찰로 이어진다. 통찰은 자각이 맺어준 결실이며, 남을 용서하고 사랑하는 마음을 갖게 해준다. 15분이나 30분쯤 자각을 실천하여 집중과 통찰력을 갖게 되면 자신의 화로부터 해방될 수 있고, 자애로운 사람으로 변할 수 있다. 그것이 모든 인간관계에 꽃을 피우는 변화의 방법이다.

anger___8

화내는 것도 습관이다. 그 연결고리를 끊어라.

여름철마다 플럼빌리지에 와서 다른 청소년들과 함께 수련을 하는 열두 살짜리 소년이 있었다. 그는 아버지와의 관계에 문제가 있었다. 어렸을 적에 가령 길을 가다가 넘어져서 다친다든가 하는 실수를 저지르면 아버지는 아들을 위로하기는커녕 고래고래 소리를 지르면서 온갖 욕설을 퍼부었다. "이 바보 같은 놈! 넌 어떻게 하는 짓이 늘 그 모양이지?" 고작 길을 가다가 넘어져서 다친 정도의 실수를 갖고 그처럼 험악한 사태가 벌어진 것이다. 그러니 그가 아버지를 자애롭고 훌륭한 아버지로 볼 수가 없었다. 그는 이 다음에 커서 결혼을 하고 자식들을 갖게 되면 자신은 절대로 그렇게 행동하지 않을 것이라고 다짐했다. 아들이 놀다가 다쳐서 피를 흘리더라도 고래고래 소리를 지르지 않을 것이며, 아들을 품에 안아서 위로해 줄 것이라고 다짐했다.

플럼빌리지에 두 번째로 왔을 때 그는 여동생을 데리고 왔다. 여동생이 다른 소녀들과 함께 그물 침대에서 놀다가 떨어졌다. 돌멩이에 머리를 부딪혀서 얼굴에 피가 철철 흘렀다. 갑자기 그는 화가 치밀어오르는 것을 느꼈다. 그는 여동생한테 "바보 같은 계집애! 넌 어떻게 하는 짓이 늘 그 모양이지?"라고 곧 소리를 지르려 했다. 아버지가 그에게 했던 바로 그 말을 그도 여동생에게 하려 했던 것이다. 그러나 그는 플럼빌리지에서 두 번이나 수련을 한 덕분에, 그 순간에 스스로를 억제할 수 있었다. 소리를 지르는 대신에 그는 얼른 그 자리에서 벗어나 의식적인 호흡과 보행을 실천했다.

그 동안에 다른 사람들이 여동생을 도왔다. 그리고 불과 5분 만에 그는 어떤 깨달음의 순간을 경험했다. 그는 여동생이 다친 데 대해 그가 보인 과민한 반응이 바로 그가 그의 아버지에게서 물려받은 습관적 에너지라는 사실을 깨달았다. 그는 그의 아버지와 똑같은 사람이 되어 있었던 것이다. 그는 여동생을 아버지가 그를 대하던 방식으로 대하려는 생각이 전혀 없었지만, 그러나 아버지에게서 물려받은 습관적 에너지가 너무 강해서 그도 거의 아버지와 똑같이 될 뻔했던 것이다.

열두 살짜리 소년에게 그것은 참으로 놀라운 깨달음이었다. 그는 계속 길을 걸어갔다. 그리고 또 어느 순간에 갑자기 그 습관적 에너지를 처리하기 위한 수련을 해야겠다는 열망이 차올랐다. 나중에 자기 자식에게 전염시키지 않기 위해서라도 반드시 그렇게 해야 하며, 자각을 실천하기만 하면 그 고통의 순환을 끊을 수 있을 것이라고 그는 생각했다.

소년은 그의 아버지도 화에 전염된 희생자라는 것을 그제야 알 수 있었다. 그의 아버지도 그를 그런 식으로 대하고 싶지가 않았겠지만, 그러나 그 습관적 에너지가 너무도 강해서 어찌할 수가 없었던 것이다. 아버지도 역시 전염된 희생자였으리라는 통찰이 오자 아버지에 대한 그 동안의 화가 말끔히 사라졌다. 그리고 몇 분 후 그는 갑자기 당장 집으로 돌아가서 아버지와 함께 수련을 하고 싶다는 생각이 간절해졌다. 열두 살짜리 소년으로서 그것은 참으로 대단한 깨달음이 아닐 수 없었다.

❋

다른 사람의 고통을 이해할 때 우리는 그를 응징하려는 생각을 버리고, 오히려 돕고자 하는 마음을 가질 수 있다. 그 순간에 우리는 자신의 수련이 성공했다는 것을 알게 된다. 우리는 이제 훌륭한 정원사가 된 것이다.

우리 모두의 몸 속에는 꽃밭이 있으며, 모든 수련자는 자신에게로 돌아가서 그 꽃밭을 가꾸어야 한다. 그 꽃밭을 오랫동안 그저 내버려두고 차마 손대지 못했던 사람들도 있을 것이다. 그들은 자기 안에 있는 그 꽃밭에서 지금 무슨 일이 일어나고 있는지를 정확하게 알아야 하고, 모든 것을 정돈하기 위한 노력을 해야 한다. 그리고 예전의 아름다움과 조화를 반드시 복구해야 한다. 그러면 수많은 사람들이 그 꽃밭을 즐기게 될 것이다.

anger___9

무의식중에 입은 상처가 화를 일으킨다

우리 대다수는 아직도 마음속에 상처를 갖고 있다. 우리의 상처는 아버지나 어머니 때문에 생긴 것일 수도 있다. 그런데 아버지도 어린 시절에 마음의 상처를 받았을지도 모른다. 어머니도 소녀 시절에 깊은 상처를 받은 적이 있는지 모른다. 그들은 어린 시절의 상처를 치유하는 방법을 몰랐기 때문에 그 상처를 우리에게 옮겨주었다. 만약 마음속의 상처를 치유하는 방법을 모른다면 우리도 그 상처를 우리의 자식, 손자들에게 옮겨줄 수 있다. 우리가 마음속의 상처를 더듬어내어서 치유하지 않으면 안 되는 이유가 바로 이것이다.

우리 마음속의 상처 중에는 더러 우리의 관심을 온통 집중해야만 치유할 수 있는 것이 있다. 그 상처는 마치 우리의 아기와도 같다. 의식의 가장 깊은 곳에 숨어 있던 어린 아기가 어느 순간에 고개를 내

밀고 관심을 가져달라고 요구하는 경우가 있다. 자신의 마음을 자각하면 우리는 그 아기의 목소리를 들을 수 있다. 그런 순간에는 모든 것을 다 접어두고 자신에게로 돌아가서 마음속의 그 아기를 따뜻하게 감싸안아 주어야 한다.

자신을 돌보기 위해서는 우리는 마음속의 그 상처받은 아기를 먼저 돌보아야 한다. 이것은 매일 해야 하는 일이다. 자상한 형이나 누이처럼 그 아기를 따뜻하게 안아주어야 한다. 그 아기에게 편지를 쓸 수도 있다. 마음속의 그 아기에게 편지를 써서, 그가 거기에 있다는 사실을 알고 있으며 그를 치유하기 위해서 최선을 다할 것이라고 말할 수도 있다.

우리는 비단 남의 말에만 애정 어린 마음으로 귀를 기울여야 하는 게 아니다. 우리 자신의 안에 있는 그 아기의 말에도 귀를 기울여야 한다. 그 아기는 지금 이 순간에도 우리와 함께 있다. 그리고 우리는 지금 당장이라도 그 아기를 치유해줄 수 있다. 그 아기에게로 돌아가서 그의 말에 귀를 기울이는 방법을 알면 이내 치유가 시작될 것이다. 아름다운 산에 오를 때 그 아기를 불러내어서 함께 걸어보라. 아름다운 석양을 감상할 때도 그 아기를 불러내어서 함께 감상해보라. 그렇게 몇 주일이나 몇 달을 지속하면 그 아기의 상처가 치유될 것이다. 여기에서도 자각의 에너지가 크게 도움이 된다.

❋

1분을 수련하면 자각의 에너지가 1분 동안 생성된다. 그 에너지는 외부에서 들어오는 것이 아니라, 우리의 내부에서 발생한다. 자각의 에너지는 우리를 지금 이곳에, 오직 지금 이곳에만 있게 해주는 에너지다. 차를 마실 때도 내가 지금 차를 마신다는 사실을 자각하고 있으면 몸과 마음이 완전한 하나가 된다. 나 자신이 현실인 것처럼, 내가 마시는 차도 현실이다. 그러나 음악이 시끄러운 카페에 앉아서 머릿속에서 온갖 일을 생각하고 있을 때는 그 차를 진정으로 마시게 되질 못한다. 그럴 때는 일을 마시는 것이고 걱정을 마시는 게 된다. 나 자신도 현실이 아니고 내가 마시는 차나 커피도 현실이 아니다. 내가 마시는 차나 커피는 내가 나 자신에게로 돌아가서 과거로부터도 미래로부터도 모든 걱정들로부터도 완전히 자유로운 채로 앉아 있을 때에만 나에게서 현실이 된다. 내가 현실이 되면 차도 또한 현실이 되고, 그럴 때에야 비로소 내가 차를 마시는 그 행위가 현실이 된다. 이것이 진정으로 차를 마시는 행위다.

다도회는 차 한 잔을 진정으로 음미함으로써 현재의 순간에 존재하는 경험을 맛보게 해준다. 다도회는 그 자체가 하나의 수련이다. 그것은 자유를 얻는 데 도움을 주는 수련이다. 아직도 과거에 얽매인 사람, 미래에 대한 두려움에 사로잡힌 사람, 일에 대한 걱정과 두려움에 마음을 빼앗긴 사람, 마음이 화로 들끓는 사람은 자유로운 사람이 아니다. 그 사람은 지금 이곳에 존재하지 않고, 따라서 그의 삶은 그의 것이 아니다. 그는 차 한 잔을 음미할 수도 없고, 푸른 하늘과 아름다운 꽃을 감상할 수도 없다. 자유인이 아닌 사람은 진정으로 살아 있는 사람이 아니다. 그리고 자유인이 되기 위해서는 자각을 수련하는 것이 크게 도움이 된다.

자각의 에너지는 현재의 순간에 존재하기 위한 에너지다. 몸과 마음이 하나가 되기 위한 에너지다. 호흡과 보행을 자각하면 과거로부터도 미래로부터도 일로부터도 자유로워질 수 있고, 그리하여 진정으로 현재의 순간에 존재할 수 있게 된다. 자유는 삶을 진정으로 살기 위한 기초 조건이다. 푸른 하늘과 숲과 새를 감상하고 한 잔의 차를 음미하고 타인들과 진정으로 교제를 하기 위해서는 반드시 자유롭지 않으면 안 된다. 자각을 실천하는 것이 더없이 중요한 이유가 바로 이것이다. 이것은 몇 달이나 훈련해야만 이루어질 수 있는 것이 아니다. 단 한 시간만 수련을 하더라도 우리는 누구나 자신을 자각할 수 있게 된다. 차 한 잔을 앞에 놓고, 그것을 의식적으로 마셔보라. 차 한 잔을 여유롭게 마시는 그 간단한 일에서조차 커다란 자유를 느낄 수 있을 것이다. 아침을 먹을 때도 자유인이 되는 훈련을 한다고 생각하라. 하루의 모든 순간이 다 자각을 실천함으로써 에너지를 일으킬 기회다.

❋

스스로를 자각하고 있으면 현재의 순간에 나에게 무엇이 있는지를 깨달을 수 있다. 가령 남편이 아내에게 "여보, 난 당신이 나에게 있다는 걸 알아. 그래서 난 정말 행복해."라고 말하는 것은 그가 자유로운 사람이라는 증거다. 그것은 그가 자각을 실천함으로써 현재의 순간에 일어나고 있는 일을 정확히 알고서 음미한다는 증거다. 현재의 순간에 일어나고 있는 것은 다름 아닌 우리의 삶이다. 그럴 때 우리도 진정으로 살아 있게 되고, 우리가 사랑하는 사람도 우리의 곁에서 진정으로 살아 있게 된다.

우리가 내부에 축적하는 자각의 양은 매우 중요하다. 우리는 자각의 에너지로 사랑하는 사람을 감싸안는다. 사랑의 마음으로 그를 바라보면서, "당신이 이렇게 나에게 있다는 건 정말 놀라운 사실이야. 그래서 난 정말 행복해."라고 말한다. 그러면 내가 행복한 것은 물론이고 그 사람도 행복해진다. 내가 자각의 에너지로 그를 감싸안았기 때문이다. 타인과의 관계를 그렇게 유지하면 화에 마음을 빼앗길 일은 거의 없을 것이다.

누구나 이것을 실천할 수 있다. 시간이 오래 걸리지도 않는다. 고작 1~2분 동안만 호흡과 보행을 자각함으로써 자신이 지금 이곳에 있다는 사실을 거듭 확인하라. 그런 상태에서 타인에게 다가가서 그의 눈을 쳐다보면서 미소를 짓고 "당신이 이렇게 내 앞에 있다는 것은 참으로 놀라운 일이야. 그래서 난 정말 행복해."라고 말해보라.

자각은 나 자신과 내가 사랑하는 사람에게 자유와 행복을 가져다 준다. 그 사람이 화와 걱정과 망각에 사로잡혀 있다고 하더라도, 내가 스스로의 존재를 자각하고 있으면 그 사람을 구해줄 수 있다. 자각은 부처의 에너지이고, 깨달음의 에너지다. 우리가 스스로의 존재를 자각하고 있을 때는 언제든지 부처가 우리와 함께 있으며, 그 자비로운 품에 우리를 포근히 감싸안아 준다.

anger___ 10

혼자서 화를 풀기가 어렵다면 친구에게 도움을 청하라

우리는 혼자서는 쉽게 성공할 수 없기 때문에 가족이나 정신적인 친구들과 함께 수련을 한다. 우리에겐 동지가 필요하다. 이제까지는 동지들이 서로에게 더 심한 고통을 주고 화를 돋구었던 경우도 있겠지만, 그러나 이제 우리는 슬픔과 분노와 좌절을 극복하기 위해 서로 동지가 되기를 원한다. 우리는 평화의 전략을 협의하고자 한다.

사랑하는 사람과 평화회담을 시작하라. "여보, 이제까지는 우리가 서로에게 고통을 주었어. 당신도 나도 우리는 화의 희생자였어. 우리는 서로를 지옥으로 만들었던 거야. 이제 나는 달라지고 싶어. 난 우리가 서로 동지가 되기를 원해. 동지가 되어서 서로를 보호해주고, 함께 수련을 하고, 서로 힘을 합쳐서 우리 마음속의 화를 깨끗이 풀어냈으면 좋겠어. 이제부터는 당신도 나도 자각을 실천해서 제대로 한번 살아봤으면 좋겠어. 여보, 당신 도움이 필요해. 당신의 협력이 필요해. 당신이 없으면 난 성공할 수 없어." 비단 아내뿐만이 아니라 아들이나 딸에게도 이 같은 말을 할 수 있을 것이다. 이것이 깨달음이다. 이것이 사랑이다.

정신을 집중한 채로 5분간 법문을 들으면 깨달음을 얻을 수 있다. 그러나 그 깨달음을 늘 유지하지 않으면 일상생활에서 제대로 실천을 할 수가 없다. 마음속에서 깨달음이 커져가면 혼란과 무지가 줄어들기 시작할 것이다. 그리하여 생각이 달라질 뿐만이 아니라 몸과 생활방식도 달라진다. 그러므로 우리는 사랑하는 사람과 더불어서 평화의 전략과 소비의 전략과 자기보호의 전략을 협의하는 것이 매우 중요하다. 그리고 거기에 최선을 다해야 한다. 자신의 재능과 기술 등 모든 것을 다 쏟아부음으로써 더이상 서로에게 고통을 안겨주지 않도록 협의를 이끌어내야 한다. 우리는 새로이 시작을 하고 싶을 것이고, 우리 자신을 완전히 바꾸고 싶을 것이다. 타인을 설득하느냐 못 하느냐 하는 것은 전적으로 우리 자신에게 달린 문제다.

✻

5년 동안 아버지하고 말을 하지 않은 젊은 미국인이 있었다. 그들 부자간에는 대화가 전혀 불가능했다. 어느 날 그는 우연히 법문을 듣고 깊은 영향을 받았다. 그는 다시 시작하고 싶었다. 삶을 완전히 바꾸고 싶었다. 그래서 그는 수도승이 되기로 결심했다. 남다른 열의를 가지고 그는 플럼빌리지에서 서너 달을 머물렀고, 수도승이 될 수 있는 가능성을 보여주었다. 수련원에 온 첫날부터 그는 의식적인 소비를 실천하고, 보행 명상을 실천하고, 좌정 명상을 실천하고, 수련원의 모든 활동에 적극적으로 참여했다.

그는 아버지한테 아무것도 기대하지 않고, 단지 혼자서 시작을 했다. 생활이 달라지고 자기자신과의 평화를 이룬 덕분에 그는 매주 한 번씩 아버지에게 편지를 쓸 수 있었다. 답장을 바라지 않고 그는 그의 수련에 관한 얘기와 날마다 느끼는 작은 기쁨들을 편지에 썼다. 그리고 여섯 달이 지났다. 그는 수화기를 귀에 대고 의식적으로 숨을 들이쉬고 내쉬며 마음을 가라앉혔다. 그리고 다이얼을 돌리자 아버지가 전화를 받았다. 아버지는 그가 수도승이 되었다는 걸 알고 있었고, 그것 때문에 몹시 화가 나 있었다. 그래서 아버지는 맨 먼저 그 얘기부터 꺼내었다. "너 아직도 거기 있니? 아주 중이 됐어? 그래 갖고야 네 장래가 있기나 하겠어?" 아들이 대답했다. "아버지, 지금 저의 관심은 오직 아버지와의 좋았던 관계를 다시 찾는 것뿐입니다. 그러면 저는 더없이 행복해질 거예요. 지금 제게 중요한 것은 그것뿐이에요. 아버지하고 다시 마음을 터놓는 것, 지금 제 관심은 그것뿐입니다. 장래 같은 것은 지금은 전혀 중요한 문제가 아닙니다."

아버지는 오랫동안 말이 없었다. 젊은이는 그저 자신의 호흡을 세고만 있었다. 이윽고 아버지가 말했다. "알았다, 네 말이 옳다. 지금 나한테 가장 중요한 것도 바로 그것이야." 아버지는 아들에 대해서 분노의 감정만을 갖고 있었던 게 아니다. 매주 보낸 편지에서 아들은 아버지에게 아름다운 얘기들을 들려주었고, 그 얘기들이 아버지에게 긍정적인 생각을 키워주었던 것이다. 대화의 길이 다시 트였고, 그리고 아들과 아버지 모두가 다시 행복해졌다.

❋

의사소통의 문이 열려 있을 때 우리는 하지 못할 일이 없다. 그러므로 늘 최선을 다해서 그 문이 항상 열려 있게 해야 한다. 타인과의 평화를 원한다는 의지를 표현해야 한다. 타인의 도움을 요청하라. "지금 나에게 가장 중요한 것은 우리가 서로 마음을 터놓는 것이다. 우리의 관계가 가장 중요한 것이다. 그것보다 더 중요한 것은 아무것도 없다." 이렇게 분명히 뜻을 밝히고 도움을 구하라.

그리고 평화를 위한 전략을 서로 협의해야 한다. 상대방이 나름대로 최선의 노력을 다한다 하더라도, 나는 또 나대로 내가 할 수 있는 모든 것을 다해야 한다. 자신의 백 퍼센트를 다 주어야 한다. 내가 나 자신을 위해서 할 수 있는 모든 것을 타인을 위해서 해야 한다. 기다리면 안 된다. "당신이 우리 사이의 화해를 위해 노력하지 않으면, 나도 하지 않을 것이다."라고 말해서는 안 된다. 그러면 아무것도 이루어지지 않는다. 평화와 화해와 행복은 나에게서 시작된다.

타인이 먼저 변하거나 개선되지 않으면 아무것도 달라질 수 없다고 생각하는 것은 잘못이다. 기쁨과 평화와 조화를 불러올 길은 언제나 있고, 우리는 그것을 실천할 수 있다. 걷는 방식, 호흡을 하는 방식, 미소를 짓는 방식, 반응을 하는 방식, 그 모든 것이 다 지극히 중요하다. 우리는 이러한 것에서 시작해야 한다.

의사소통의 길은 여러 가지가 있다. 그 중에서도 가장 좋은 방법은 이젠 더이상 분노와 경멸의 감정을 느끼지 않는다는 것을 보여주는 것이다. 타인을 이해하고 용납한다는 것을 보여주어야 한다. 이것은 비단 말로써만 보여줄 수 있는 게 아니다. 애정이 가득 어린 눈빛이나 부드러운 행동을 통해서도 얼마든지 보여줄 수 있다. 나의 기분이 신선하고, 그래서 함께 있으면 즐거운 사람이 되면, 벌써 커다란 변화가 일어난 것이다. 그러면 누구나 나의 곁에 오고 싶어할 것이다.

나는 서늘한 그늘을 드리운 나무가 되고, 시원한 물이 흐르는 개울이 된다. 나와 함께 있는 것이 기분 좋고 즐겁기 때문에 사람들이 누구나 나에게 가까이 다가오려고 할 것이다. 나 자신으로부터 시작할 때 나는 의사소통의 길을 복구할 수 있고, 그리고 타인도 자연스럽게 변화할 것이다.

anger—— 11

나를 화나게 한 사람에게 앙갚음하지 마라

사랑하는 사람에게 이렇게 말해보라. "이제까지 우리는 서로에게 너무 큰 아픔을 주었어요. 그건 우리가 화를 다스리는 방법을 몰랐기 때문이에요. 이제부터는 서로를 미워하지 말고 화를 보살피기 위한 전략을 세우기로 해요."

마음속에서 화가 일어날 때마다 우리는 흔히 나를 화나게 한 장본인이라고 생각되는 사람에게 앙갚음을 하려고 한다. 이것은 우리 안에 습관적 에너지가 있기 때문이다. 고통을 당할 때 우리는 늘 그 원인을 타인에게 돌렸다. 그것이 바로 우리 자신의 문제라는 것을 깨닫지 못했기 때문이다. 화는 일차적으로 우리 자신에게 책임이 있는 것인데도 우리는 타인을 응징하는 말이나 행동을 하면 분노가 줄어들 것이라고 믿는다. 이 같은 믿음은 그 뿌리를 뽑아버려야 한다. 화가 난 상태에서 하는 말이나 행동은 관계를 더욱 악화시킬 뿐이다. 그러므로 우리는 화가 난 상태에서는 아무 말이나 행동도 하지 않으려고 애를 써야 한다.

타인에게 매우 불친절한 말을 하거나 앙갚음을 위한 행동을 하면 우리 자신의 화가 더욱 커지는 결과가 빚어진다. 내가 남에게 고통을 주면, 그도 자기가 당하는 고통을 덜어보려고 더욱 험한 말이나 행동을 하게 된다. 그렇게 해서 갈등이 더욱 깊어진다. 이제까지 우리에겐 이러한 경우가 많았다. 분노와 고통이 앙등되는 데 익숙해지기만 했을 뿐 그것으로부터 배운 것은 아무것도 없었다. 남을 응징하려 하는 것은 상황을 더욱 악화할 따름이다.

남을 응징하는 것은 곧 스스로를 응징하는 것이다. 그것은 어떠한 상황에서도 마찬가지다. 미국이 이라크를 응징할 때마다 이라크만이 아니라 미국도 고통을 당했다. 이라크가 미국을 응징하려 할 때마다 미국만이 아니라 이라크도 고통을 당한다. 이것은 어디에서나 다 마찬가지다. 이스라엘과 팔레스타인, 이슬람교와 힌두교, 나와 타인 사이에서도 다 그러하다. 아득한 옛날로부터 이것은 하나의 진리였다. 그러므로 이제부터는 각성해야 한다. 타인을 응징하는 것은 지혜로운 전략이 아니라는 것을 깨달아야 한다. 나도 타인도 나름의 지혜가 있다. 그 지혜를 슬기롭게 써야 한다. 서로 협의를 해서 서로의 화를 보살피기 위한 전략을 이끌어내야 한다. 서로를 응징하려는 것은 어리석은 짓이라는 것을 나도 알고 그도 안다. 그러므로 화가 났을 때마다 그 화에서 벗어나기 위해서 어떤 말이나 행동을 하지 않겠다고 서로 약속하라. 각자 자신에게로 돌아가서, 호흡과 보행을 자각함으로써 자신의 화를 보살필 것이라고 다짐하라.

서로가 행복할 때 시간을 내서 서로간의 평화를 위한 조약을, 참사랑을 위한 조약을 체결하라. 그 평화 조약은 정치가들간의 조약과는 달리, 전적으로 사랑이라는 기초 위에서 체결되어야 한다. 정치가들은 오직 국가의 이익만을 위해서 조약을 체결한다. 조약을 맺은 뒤에도 그들의 마음은 화와 의심으로 가득 차 있다. 그러나 사랑으로 맺은 우리의 조약은 시간이 지나도 변하지 않는다. 진정한 평화는 참사랑의 조약 위에서만 완성되는 것이다.

anger — 12

화를 참으면 병이 된다. 애써 태연한 척하지 마라.

나를 화나게 한 사람에게 맞대응을 하지 않는다고 해서 화를 감추거나 피해서는 안 된다. 내가 지금 화가 나서 고통을 당하고 있다는 사실을 타인에게 알려주어야 한다. 이것은 중요한 사실이다. 내가 누군가에게 몹시 화가 났을 때는 화가 나지 않은 척해서는 안 된다. 고통스럽지 않은 척해서도 안 된다. 그 사람이 나에게 소중한 사람이라면 더욱 그러하다. 내가 지금 화가 났으며 그래서 몹시 고통스러워하고 있다는 사실을 그에게 고백해야 한다. 그러나 말을 아주 차분하고 침착하게 해야 한다.

참사랑에 자존심은 없다. 자존심 때문에 고통스럽지 않은 척해서는 안 된다. 화가 나지 않은 척해서도 안 된다. "화났냐고? 내가? 내가 왜 화를 내지? 난 아무렇지도 않아." 그러나 그것은 입으로만 하는 얘기일 뿐 속마음은 다르다. 나는 지옥에 있는 것이나 마찬가지다. 마음속의 화가 나를 다 잡아먹고 있다. 그러므로 당연히 사실대로 말을 해야 한다. 상대가 아내이건 아들이건 딸이건, 누구에게나 사실대로 고백을 해야 한다. 누구나 "난 혼자서도 얼마든지 행복해질 수 있어!" 라고 말하고 싶어한다. 그러나 그것은 모든 것을 함께 하겠다고 했던 처음의 언약을 배신하는 것이다.

처음에 우리는 서로에게 이렇게 말했다. "난 당신 없이는 살 수 없어. 당신 없이는 행복해질 수 없어." 그러나 화가 났을 때 우리는 전혀 다른 말을 한다. "필요없어! 내 곁에 오지도 마! 내 몸에 손도 대지 마!" 그리고 자기 방으로 가서 문을 잠가버린다. 타인이 필요없다는 것을 보여주려고 최선을 다한다. 이것은 지혜롭지 못한 태도다. 행복은 절대로 혼자서 만드는 것이 아니다. 어떠한 관계이건 그 관계 속에서 어느 하나가 행복하지 못하면 다른 쪽도 행복해질 수가 없다.

1. "나 화났어. 마음이 몹시 아파."

가령 부부가 서로 "여보, 사랑해요."라고 말하는 것은 매우 좋은 일이고 매우 중요한 일이다. 우리가 기쁨과 좋은 감정을 사랑하는 사람과 함께 나누는 것은 당연한 일이다. 마찬가지로 고통을 당하고 있을 때도 그 사실을 알려주어야 한다. 자신의 감정을 그대로 표현해야 한다. 그럴 권리가 있고, 그것이 참사랑이다. "당신 때문에 화가 났어, 고통스러워."라고 최선을 다해서 차분하게 말해야 한다. 목소리에 슬픈 기색이 조금 있으면 더 좋을 것이다. 비난하거나 응징하는 투로 해서는 안 된다. "나 화났어, 고통스러워. 당신의 도움이 필요해." 이것이 사랑의 말이다. 부부로서, 남편과 아내로서 서로가 서로를 돕겠다고 이미 맹세를 했기 때문이다. 아버지와 아들, 어머니와 딸 사이에서도 마찬가지다.

아내나 남편 중에서 어느 한쪽이 다른 쪽 때문에 고통을 받고 있을 때는 그 사실을 말해주는 것이 의무다. 행복할 때는 그 행복을 나눈다. 고통스러울 때도 당연히 고통을 나눠야 한다. 내 화가 상대방 때문에 일어난 것이라고 생각되더라도 처음에 다짐했던 것을 잊어서는 안 된다. 차분하고 침착하게 상대에게 말을 해야 한다. 사랑의 말로 자신의 감정을 알려야 한다. 이것이 사랑의 유일한 조건이다.

자신의 감정을 털어놓는 것은 되도록 빨리 해야 한다. 화가 났을 때 그 감정을 하루 이상 마음에 품고 있어서는 안 된다. 시간이 지나면 지날수록 고통이 더욱 심해진다. 그러면 그 고통에 중독될 수 있다. 그것은 나의 사랑과 신뢰가 허약한 것이라는 증거가 된다. 그러므로 되도록 빠른 시간 안에 나의 분노와 고통을 털어놓아야 한다. 24시간이 시한이다.

마음이 진정되지 않았기 때문에, 아직 화가 극심하기 때문에, 당장은 말을 할 수가 없다고 생각할 수도 있다. 그럴 때는 당장 의식적인 호흡과 보행을 실천하라. 그리고 마음이 가라앉아서 준비가 되었다고 생각될 때 말을 하라. 그러나 시한이 가까워졌는데도 아직 마음이 가라앉질 않았다면, 글로 쓰면 된다. 평화의 메시지를 담은 편지를 쓰는 것이다. 24시간이 지나기 전에 그 편지를 전해야 한다. 이것이 매우 중요하다. 화가 났을 때는 반드시 그런 식으로 하겠다고 미리 약속을 해두면 더욱 좋을 것이다. 그렇게 하지 않으면 서로간에 맺었던 평화 조약을 존중하지 않는 셈이 된다.

2. "나는 최선을 다하고 있어."

변화를 꾀할 각오를 단단히 하면 더 멀리 나아갈 수 있다. 내가 고통받고 있다는 사실을 상대방에게 말할 때, "나는 최선을 다하고 있다"는 말을 덧붙여줄 수 있게 된다. 이것은 내가 화를 담은 말이나 행동을 하지 않겠다는 것을 의미한다. 스스로 화를 자각하여 끌어안기 위해서 호흡과 보행을 의식적으로 하겠다는 의미다. 만약 수련을 하지 않고 있다면 "난 최선을 다하고 있다"고 말해서는 안 된다. 수련하는 방법을 아는 사람은 화가 났을 때 "난 최선을 다하고 있다"고 말할 자격이 있다. 그러면 상대방에게 신뢰와 존중심을 일으킬 수 있다. "나는 최선을 다하고 있다"는 말은 화가 났을 때는 얼른 자신에게로 돌아가서 화를 보살피겠다는 각오를 잘 지키고 있다는 의미다.

화는 아기와도 같다. 그러므로 화는 보살핌을 필요로 한다. 그것은 마치 위장이 아플 때 우리가 얼른 위장을 돌보는 것과 마찬가지다.

위장은 우리의 신체적 생리적 구성물이고, 화는 우리의 정신적 구성물이다. 그러므로 우리는 위장이나 신장을 돌보듯이 우리의 화를 돌보아야 한다. "화, 너 꺼져. 넌 내 것이 아니야."라고 말할 수는 없다. 그러므로 화를 끌어안고 잘 돌보고 있을 때만 "나는 최선을 다하고 있다"고 말할 수가 있다. 호흡과 보행을 자각함으로써 화라는 부정적인 에너지를 긍정적인 에너지로 바꾸는 것을 실천하는 셈이다.

화를 끌어안고 있을 때는 그 화의 실체를 자세히 살펴보아야 한다. 그리고 판단을 잘못했기 때문에 화가 난 것은 아닌지 깊이 생각해 보아야 한다. 상대의 말이나 행동을 오해했을 수도 있기 때문이다. 흔히 화는 그 같은 무지와 그릇된 판단 때문에 빚어진다. "난 최선을 다하고 있다"고 말하는 사람은 자기가 과거에는 그릇된 판단 때문에 화를 일으켰던 적이 자주 있었다는 사실을 잘 알고 있을 것이다. 그러므로 이제부터는 매우 조심을 해야 한다. 상대방의 말이나 행동이 나를 화나게 하려는 의도에서 나온 것이었다고 속단해서는 안 된다. 그렇게 되면 스스로를 지옥에 빠뜨리는 결과가 된다.

3. "제발 날 도와줘."

세 번째 문장은 앞의 두 문장에 자연스럽게 이어진다. "제발 날 도와줘. 난 당신의 도움이 필요해." 이것이 참사랑의 말이다. 상대방 때문에 화가 났을 때 우리는 흔히 "내 곁에 오지 마! 당신은 나한테 필요없어. 난 당신이 없어도 혼자 잘 할 수 있어!"라고 말하고 싶어진다. 그러나 우리는 이미 서로가 서로를 잘 보살펴주기로 언약을 했다. 그러므로 상대방 때문에 내가 고통을 받을 때는, 비록 스스로 그것을 극복하기 위한 방법을 알고 있다 하더라도 "당신의 도움이 필요해. 제발 날 도와줘"라고 말을 해서 도움을 요청하는 것이 올바른 행동이다.

이 세 문장을 말로 하거나 편지로 써서 전할 수 있다면 참사랑을 실천할 수 있다. 그것은 진짜 사랑의 말이기 때문이다. "여보, 나 지금 마음이 아파. 당신이 그걸 알아주었으면 좋겠어. 여보, 난 최선을 다하고 있어. 나는 당신뿐만 아니라 어느 누구도 탓하지 않으려고 애쓰고 있어. 우리는 아주 가까운 사이이고, 서로를 돕겠다고 다짐했기 때문에, 나는 지금 당신에게 꼭 도움을 청해야 한다고 생각해. 내가 이 아픔에서 벗어나려면 당신이 꼭 나를 도와줘야 해." 이 같은 말을 상대방에게 차분하게 하면 그 사람이 이내 마음을 누그러뜨리고 위안을 받을 것이다. 내가 화를 다스리는 방식이 상대방으로 하여금 나를 신뢰하고 존중할 수 있게 해준다. 이것은 그리 어려운 일이 아니다.

❋

만약 내가 그와 같은 말을 들었다면 나는 그가 나에게 매우 충실한 사람이며 나를 참으로 사랑하는 사람이라고 생각하지 않을 수 없을 것이다. 우리는 행복할 때만 서로 행복을 나누는 것이 아니라, 고통받을 때도 서로 고통을 나눈다. 그가 최선을 다했다고 말했기 때문에 나는 그를 진정으로 신뢰하고 존중할 것이다. 그는 진정으로 수련을 하는 사람이기 때문이다. 그는 자기가 배운 것을 충실하게 실천하고 있기 때문이다.

그가 최선을 다하고 있으므로 나도 역시 최선을 다하게 될 것이다. 나도 나 자신에게로 되돌아가서 수련을 할 것이다. 그에게 소중한 사람이 되기 위해서 나 자신을 깊이 들여다보고 내가 할 수 있는 최선의 노력을 다할 것이다. 나는 스스로에게 물어볼 것이다. "내가 도대체 무슨 말을 했고 무슨 짓을 했기에 그가 고통을 받았을까? 나는 왜 그런 말을 하고 그런 짓을 했을까?" 그런 다음 그의 말에 귀를 기울이고 그가 전해준 편지를 읽으면, 해답이 저절로 나올 것이다. 그의 마음을 움직였던 사랑이 이제는 나의 마음을 움직이기 시작할 것이고, 내가 자각의 에너지로 그를 끌어안을 차례가 될 것이다.

사랑의 말로 쓰여진 나의 메시지가 그에게 전해질 때, 그는 나의 사랑과 나의 말과 나의 수련에 크게 감동받을 것이다. 그가 커다란 깨달음을 얻고 나에 대한 존중심을 갖게 될 것이다. 그는 자신에게로 되돌아가서, 나에게 고통을 줄 만한 말이나 행동을 하지 않았는지 깊이 생각해볼 것이다. 그러면 나는 그에게, 나처럼 수련을 해보라고 권하고 그 방법을 가르쳐준 셈이 될 것이다. 그는 내가 최선을 다하고 있다는 것을 알 것이고, 나의 노력에 부응하기 위해서 자신도 최선을 다하고자 하는 마음이 생길 것이다. 그는 조용히 스스로에게 이렇게 말할 것이다. "나도 나름대로 최선을 다하고 있어"라고.

이것은 참으로 놀라운 일이 아닐 수 없다. 부처가 두 사람의 마음속에 살아나게 된 것이다. 이제 더이상 위험은 없다. 각자가 자신에게로 되돌아가서, 상황을 진정으로 이해하기 위해서 자신의 마음을 깊이 들여다본다. 그리고 그 동안에 어느 한쪽이 어느 순간에 사태의 실상을 깨닫게 되면, 즉시 상대방에게 그것을 말해주는 것이다.

그릇된 판단 때문에 화가 났다는 게 밝혀지는 경우도 있을 것이다. 그럴 경우에도 즉시 그 사실을 상대방에게 말해주어야 한다. 실은 아무것도 아니었던 것을 가지고 화를 냈다는 것을 상대방에 알려주어야 한다. 그 사람은 실은 나에게 아무런 잘못도 하지 않았는데 내가 오해를 한 바람에 화를 낸 것이었다면, 즉시 그에게 사실대로 말을 해야 한다. 그 사람은 아직도 나의 고통 때문에 몹시 걱정을 하고 있을 것이기 때문이다. 그러면 그 사람도 이내 마음이 편안해질 것이다.

그 사람도 역시 나와 같은 생각을 할지 모른다. 그 사람도 그저 짜증이 나서 무심결에, 혹은 그릇된 판단 때문에, 나를 화나게 하는 말이나 행동을 했었다는 것을 깨달을지도 모른다. 그리고 후회를 하고, 그 후회하는 심정을 나에게 알려주려 할 것이다. "여보, 어제는 내가 정신이 나갔던가 봐. 그래서 마음에도 없는 말을 했어. 정신이 나가서 당신한테 못할 짓을 했던 거 같아. 당신한테 고통을 줄 생각은 전혀 없었는데, 아마 내 처신이 서툴러서 그랬던가 봐. 미안해. 그리고 약속할게. 앞으로는 좀더 세심하게 말을 하고 행동할 거라고 약속할게." 이처럼 진심 어린 사과의 말을 들으면 고통을 씻고 진정으로 그를 존중하는 마음이 생길 것이다. 그리고 이제 두 사람은 수련의 동반자가 될 것이다. 서로가 서로를 존중하며 그들의 관계는 지속적으로 발전해나갈 것이다. 존중이야말로 참사랑의 밑거름이기 때문이다.

anger—— 13

남을 미워하면 나도 미움받는다

마음이 화로 가득 차 있을 때는 어떠한 반응도 하지 말아야 한다. 말도 하지 말고 어떤 행동도 보이지 말아야 한다. 화가 났을 때 섣불리 말을 하거나 행동을 보여주는 것은 현명하지 못하다. 자신에게로 되돌아가서 화를 잘 보살펴야 한다.

화는 우리 안에 자리잡고 있는 에너지 지대다. 그것은 우리가 돌봐야 할 병든 아기다. 화를 다스리기 위한 최선의 방법은 또 다른 에너지 지대를 만들어서 그것으로 하여금 화를 감싸안고 보살피게 하는 것이다. 이 또 하나의 에너지가 곧 자각의 에너지다. 자각은 부처의 에너지다. 그것은 누구나 가질 수 있다. 의식적인 호흡과 보행을 통해서 우리도 그 에너지를 발생시킬 수 있다. 우리 안의 부처는 단지 하나의 개념이 아니다. 우리는 누구나 자각의 에너지를 만들어낼 수 있기 때문에 우리 안의 부처는 어떤 이론이나 관념이 아닌 실재로 존재한다.

자각은 현재의 순간에 존재하는 것을 의미하고, 지금 이 순간에 무슨 일이 일어나고 있는지를 깨닫는 것이다. 이 에너지는 수련을 위해서 결정적으로 중요하다. 자각의 에너지는 아파하는 아기를 품안에 안아서 보살펴주는 우리의 큰형이고 큰누이이고 어머니이며, 그 아기는 다름 아닌 우리의 화와 절망과 시기심이다.

제1의 에너지 지대는 화이고 제2의 에너지 지대는 자각이다. 수련은 자각의 에너지로 화의 에너지를 파악하고 감싸안는 것이다. 우리는 그것을 매우 부드럽게, 거칠지 않게 실천해야 한다. 그것은 화를 억누르는 행위가 아니다. 자각도 화도 다 우리의 몸 안에서 일어나는 현상이다. 그러므로 우리의 몸을 자각과 분노가 서로 싸우는 싸움터로 만들어서는 안 된다. 자각은 좋고 옳은 것이고, 화는 나쁘고 옳지 못한 것이라고 믿어서도 안 된다. 그것은 그릇된 생각이다. 다만 화는 부정적인 에너지이고 자각은 긍정적인 에너지라는 사실을 인식해야 할 따름이다. 그러면 그 부정적인 에너지를 보살피기 위해서 긍정적인 에너지를 사용할 수 있다.

❋

우리의 수련은 이 같은 비이중성에 대한 인식에 바탕을 두고 있다. 부정적인 감정도 긍정적인 감정도 우리의 몸 안에서 유기적으로 발생하는 현실적인 감정이다. 그러므로 우리는 그 감정들이 서로 싸우게 해서는 안 된다. 단지 감싸안고 보살펴주기만 하면 된다. 불교의 전통에서 명상은 자신의 마음을 선과 악이 맞서 싸우는 싸움터로 만드는 것을 의미하지 않는다.

우리는 악한 감정에 맞서 싸워서 그것을 마음속에서 몰아내야 한다고 믿기가 쉽다. 그러나 이것은 잘못된 생각이다. 수련은 자신을 변화시키는 것이다. 만약 우리가 우리 안에 쓰레기를 갖고 있지 않다면, 비료를 만드는 데 쓸 재료가 아무것도 없게 된다. 비료를 갖지 못하면 우리는 우리 안의 꽃을 길러내지 못한다. 그러므로 우리에겐 고난이 필요하다. 고난은 유기체이므로 우리는 그것을 변화시킬 수 있고 좋은 쪽으로 이용할 수 있다.

❋

우리의 실천 방법은 비폭력적인 것이어야 한다. 비폭력은 나와 남이 하나이고, 이 세상의 모든 것이 하나임을 인식하는 데서만 나온다. 그것은 삼라만상이 서로 관련되어 있고 저 혼자서 존재하는 것은 아무것도 없다는 것을 인식하는 것이다. 남에게 폭력을 행사하는 것은 곧 자신에게 폭력을 행사하는 것이다. 나와 남이 하나임을 인식하지 못하면 우리는 누구나 폭력적으로 변할 수 있다. 남을 응징하고, 억압하고, 파괴하기를 원하게 된다. 그러나 삼라만상이 모두 하나임을 통찰하면 우리는 우리 안에 있는 쓰레기와 꽃을 모두 미소로 바라볼 수 있고 감싸안을 수 있다. 이 통찰이 비폭력적 행동을 가능하게 하는 토대다.

삼라만상이 모두 하나임을 통찰하고 있을 때, 우리는 자신의 몸을 가장 비폭력적인 방법으로 보살피게 된다. 화를 비롯한 모든 정신적 상태를 비폭력적으로 돌보게 되고, 우리의 형제와 자매와 아버지와 어머니를, 우리가 속한 집단과 사회를 지극히 자애로운 마음으로 돌보게 된다. 비폭력은 이 같은 마음가짐에서 태어날 수 있는 것이다. 공존을 통찰하고 있을 때 우리는 그 어떤 사람도 우리의 적으로 보지 않게 된다.

우리의 수련의 기초는 비이중성과 비폭력을 통찰하는 것이다. 이 통찰은 우리의 몸을 자애롭게 돌보는 방법을 우리에게 가르쳐준다. 우리는 우리의 분노와 절망을 자애를 가지고 대해주어야 한다. 분노는 우리가 나날이 살아가는 방식에 그 뿌리를 두고 있다. 우리 안의 모든 것을 차별없이 잘 돌보면 우리는 부정적인 감정이 우리를 지배하는 것을 예방할 수 있다. 부정적인 감정의 씨들이 급기야 우리를 사로잡지 못하도록 미리 그 힘을 꺾어놓을 수 있다.

anger—— 14

화가 났을 때 섣불리 말하거나 행동하지 마라

마음속에서 화가 그 모습을 드러낼 때, 우리는 화가 거기에 있으며 잘 보살펴지기를 요구하고 있다는 사실을 인식하고 받아들여야 한다. 그리고 화가 난 상태에서는 아무 말도 하지 말고 아무 행동도 하지 말아야 한다는 충고를 되새긴다. 우리는 즉시 우리 자신에게로 돌아가서 마음속에서 자각의 에너지가 일어나게 하고, 그 에너지가 우리의 화를 감싸안고, 파악하고, 보살피게 한다.

한편, 화가 나서 마음이 아프다는 사실을 상대방에게 말해주라는 충고도 되새긴다. "여보, 난 지금 몹시 고통스러워, 화가 났어. 당신이 그걸 알아주었으면 좋겠어." 그리고 훌륭한 수련자라면 또한 "나는 최선을 다해서 나의 화를 보살피고 있어"라는 말을 덧붙이고, "제발, 날 도와줘"라고 말한다. 그 사람은 여전히 나와 친밀한 사람이고 나와 매우 가까운 사람이기 때문이다. 화를 이런 식으로 표현하는 것이 매우 중요하다. 그것은 매우 진실되고 충실한 태도다. 처음에 관계를 시작할 때 그와 나는 긍정적이든 부정적이든 모든 것을 함께 나눌 것이라고 다짐을 했기 때문이다.

이 같은 말로 상대방에게 나의 마음을 전달하면 그가 나를 존중하게 될 것이고, 그도 나처럼 자신을 돌아보고 수련을 하고 싶어질 것이다. 그는 내가 나 자신을 존중한다는 사실을 알 것이고, 화가 났을 때 스스로 감정을 추스리는 방법을 안다고 판단할 것이다. 나는 최선을 다해서 나의 화를 끌어안기 때문에, 그도 내가 그를 더이상 응징의 대상으로 보지 않으며, 오히려 나에게 도움을 줄 동지로 여긴다는 것도 알 것이다.

24시간 이내에 그 말을 해야 한다는 점을 명심하자. 부처는 수도승도 화를 낼 권리가 있지만, 그 화를 다음날까지 품고 있어서는 안 된다고 했다. 화를 너무 오래 품고 있는 것은 건강에 아주 해롭다. 고통이나 화를 하루 이상 품고 있어서는 안 된다. 위의 세 가지 말을 차분하고 자애롭게 말해야 하고, 그렇게 말할 수 있도록 훈련을 해야 한다. 화를 표현할 수 있을 만큼 마음이 가라앉지 않았는데 시한이 가까워질 때는 그 말을 편지로 써서 상대방에게 전달해야 한다. "여보, 나 화났어. 마음이 아파. 당신이 왜 나한테 그런 말을 했는지 난 알 수 없어, 왜 그런 행동을 했는지도 알 수 없어. 지금 내 마음이 몹시 아프다는 걸 당신이 알아줬으면 좋겠어. 나는 지금 화를 끌어안으려고 최선을 다해서 노력하고 있어. 여보, 제발 날 도와줘." 이처럼 평화의 말을 적은 편지를 써서 상대방에게 분명히 전달해야 한다. 그렇게 말을 하거나 편지로 써서 전하는 순간 이미 마음이 편안해지는 것을 느낄 수 있을 것이다.

❋

그 세 가지 말에다가, 혹은 그 편지에다가, 우리는 또 한 마디를 덧붙일 수 있다. "우리 이번 금요일 밤에 같이 앉아서 서로 속마음을 진지하게 털어놓는 게 어떻겠어?" 월요일이나 화요일에 이 말을 하는 게 좋을 것이다. 금요일까지는 사나흘 시간이 있기 때문이다. 그 동안에 두 사람은 각자 자신을 되돌아보면서 갈등이 빚어진 원인을 깊이 생각해볼 수 있다. 금요일 밤이 좋은 이유는 화해가 이루어지고 갈등이 해소되면 둘이서 주말을 즐길 수 있기 때문이다.

금요일 밤이 될 때까지 각자가 의식적인 호흡을 실천하고, 화의 뿌리를 깊이 파헤쳐본다. 운전을 하거나 걷거나 요리를 하거나 빨래를 할 때, 마음속의 화를 의식적으로 껴안는다. 그러면 화의 실체를 확인할 수 있다. 내가 당한 고통의 주요 원인이 내 마음속에 들어 있는 화의 씨앗이었다는 것을 발견할 수 있다. 그 과정을 통해 그 씨앗에 자신이나 남들이 너무 자주 물을 뿌려주었기 때문이었다는 사실을 알게 될 것이다.

화는 우리 안에서 씨앗으로 자리잡고 있다. 마찬가지로 사랑과 연민의 씨앗도 우리 안에 있다. 우리의 의식 속에는 수많은 부정의 씨앗들이 있는가 하면, 또 수많은 긍정의 씨앗들도 있다. 우리가 수련을 하는 것은 부정적인 씨앗에 물을 주는 것을 피하고, 긍정적인 씨앗들을 찾아내서 날마다 물을 주기 위해서다. 이것이 곧 사랑을 실천하는 행위다.

anger — 15

상대방이 가진 나쁜 씨앗보다는 좋은 씨앗을 보라

우리는 물을 골라서 주는 것을 실천함으로써 자신을 보호해야 하고 사랑하는 사람들을 보호해야 한다. "여보, 당신이 진정으로 나를 생각한다면, 제발 내 안에 있는 부정적인 씨앗들에게 날마다 물을 주지 말아줘. 당신이 그러면 나는 틀림없이 불행해질 거고, 내가 불행해지면 당신도 결국 불행에 빠질 거야. 그러니까 제발 내 편협한 마음과 짜증과 절망의 씨앗에 물을 주지 말아줘. 나도 당신의 그 씨앗들에는 물을 주지 않을 거라고 약속할게. 나는 당신도 부정적인 씨앗을 갖고 있다는 걸 알아. 그래서 그 씨앗에 물을 주는 말이나 행동을 하지 않으려고 노력하고 있어. 내가 그러면 당신이 불행해질 거고, 나도 따라서 불행해질 테니까. 사랑과 연민과 이해 같은, 당신의 긍정적인 씨앗들에게만 물을 주겠다고 맹세할게."

플럼빌리지 사람들은 이것을 '물을 골라서 주기'라고 부른다.

쉽게 화를 내는 사람은 그의 마음속에 들어 있는 화의 씨앗에 오랫동안 자주 물이 뿌려졌기 때문이다. 그 씨앗에 물이 뿌려지도록 스스로 허락을 했기 때문이다. 그는 좋은 씨앗에만 물을 뿌려주기로 주위 사람들과 협정을 맺지 않았다. 그는 스스로를 보호하기 위한 수련을 하지 않았다. 스스로를 보호하지 못하는 사람은 그가 사랑하는 사람들도 보호해줄 수 없다.

화를 감싸안고 잘 보살필 때 우리는 평온함을 얻는다. 화의 실체를 깊이 들여다보면서 수많은 깨달음을 얻는다. 맨 먼저 깨닫는 것은 우리 안에 있는 화의 씨앗이 너무 크게 자랐으며, 그것이 우리의 불행의 주된 원인이라는 사실이다. 그리고 그 사실을 제대로 보기 시작하면, 타인은 부차적인 원인이었을 뿐이라는 것도 깨닫게 된다. 타인은 우리에게 화를 일으키는 주된 원인이 결코 아니다.

지속적으로 깊이 성찰을 하면 우리는 타인도 커다란 고통을 당하고 있다는 사실을 알게 된다. 고통을 많이 당하는 사람은 늘 자기 주위에 있는 사람들에게도 고통을 준다. 그는 자신의 고통을 감당하는 방법을 모른다. 그것을 끌어안아서 변화시키는 방법도 모른다. 그러므로 날이 갈수록 그는 더욱 고통스러워진다. 우리는 이제까지는 그런 사람을 돕지 않았다. 물을 골라서 주기를 실천하지 않았다. 그러나 이제부터 우리가 그의 안에 들어 있는 긍정적인 씨앗들을 골라서 물을 주면 그는 내일부터는 전혀 딴 사람이 될 수 있을 것이다.

물을 골라서 주는 것은 매우 효과적인 방법이다. 고작 한 시간만 수련을 해도 커다란 변화가 일어날 수 있다. 타인의 마음속에 있는 꽃씨에 한 시간 동안만 물을 뿌려주면 꽃이 피어날 것이다.

❋

몇 년 전에 보르도 지방에 사는 한 부부가 플럼빌리지에 와서 법회에 참석한 적이 있다. 우리는 석가탄신일 행사를 치르고 있었고, 내가 설법을 하고 있다. 나는 물을 골라서 주기에 관해서 얘기하고 있었다. 어느 순간에 나는 그 부부 중에서 아내가 소리없이 눈물을 흘리고 있는 것을 보았다. 법회가 끝난 다음에 내가 그녀의 남편에게 다가가서 말했다. "당신의 꽃이 지금 물을 달라고 하고 있어요." 남편이 내 말을 대뜸 알아들었다. 그리고 집으로 돌아가는 길에 그는 아내의 마음속에 있는 긍정적인 씨앗들에게 물을 뿌려주기 시작했다. 그들의 집까지는 고작 한 시간 거리였다. 집에 도착했을 때 아이들이 엄마의 얼굴을 보고 깜짝 놀랐다. 엄마의 얼굴이 참으로 밝고 행복해 보였기 때문이다. 아이들에게 엄마의 그런 얼굴을 본 기억은 까마득한 옛날이었다.

아내의 마음속에는 좋은 씨앗이 수없이 많았지만, 남편이 알아보질 못했던 것이다. 그는 그 씨앗에 물을 주지 않았다. 그는 아내의 부정적인 씨앗만을 골라서 물을 주어왔다. 그는 수련을 한 적이 없었기 때문이다. 그가 그 동안 아내의 마음속에 있는 긍정적인 씨앗에 물을 줄 능력이 없었던 것은 아니다. 그도 아내의 마음속에 있는 꽃에 물을 줄 능력이 충분히 있었지만, 플럼빌리지에 와서 일깨움을 받기 전까지는 그것을 실천하지 못했던 것이다. 그에게는 동기를 부여해줄 스승이 필요했다. 수련회에 참석하는 것이 중요한 이유가 바로 그것이다. 우리에게는 스승이 필요하다. 우리가 이미 알고 있는 것을 실천하도록 동기를 부여해줄 사람이 필요하다.

anger—— 16

내 판단이 옳다고 100% 장담하지 마라

금요일 밤의 약속 시간이 올 때까지 자신을 깊이 성찰하면서 갈등의 원인 가운데 어디까지가 자신의 몫인지를 확인하자. 모든 책임을 상대방에게 전가해서는 안 된다. 내가 당한 고통의 주된 원인은 내 안에 있는 화의 씨앗이며 타인은 부차적인 원인에 지나지 않다는 사실을 먼저 깨닫도록 하자.

자신의 책임을 깨닫기 시작하면 이내 마음이 훨씬 편안해진다. 호흡을 자각하고, 화를 끌어안고, 부정적인 에너지를 몰아낸다면, 불과 15분 안에 기분이 훨씬 좋아진다.

그러나 그 사람은 아직도 지옥에 빠져 있을 수 있다. 그는 아직도 엄청난 고통을 감당할지 모른다. 내가 사랑하는 사람은 나의 꽃이다. 그러므로 나는 그 꽃을 잘 보살펴야 한다. 나는 그를 잘 보살필 것이라고 이미 다짐을 했다. 그러나 그 다짐을 실천하지 않았기 때문에,

그 꽃을 잘 보살펴주지 않았기 때문에, 지금 그가 당하고 있는 고통은 부분적으로 나에게 책임이 있으며, 그 사실은 나도 알고 있다. 그리하여 연민을 느낄 것이고, 갑자기 그에게로 가서 그를 돕고자 하는 마음이 생길 것이다. 내가 사랑하는 사람을 내가 돕지 않으면 누가 도울 것인가?

그에게로 가서 그를 돕겠다는 동기가 유발되는 순간에 내 안의 모든 화가 연민의 에너지로 바뀌었다는 것을 알게 될 것이다. 수련이 결실을 맺은 것이다. 쓰레기가 비료가 되어서 다시 꽃이 된 것이다. 쓰레기가 꽃이 되기까지는 불과 15분이나 30분, 혹은 한 시간이 걸릴 뿐이다. 시간의 차이는 집중의 정도, 자각의 정도, 그리고 수련을 하는 동안 얻은 지혜와 통찰의 양에 달려 있다.

아직 화요일이라면 약속된 금요일 저녁까지는 사흘이나 남아 있다. 나는 이제 그 사람이 더이상 고민하고 고통받는 것을 원하지 않는다. 그러므로 자신의 책임을 확인한 후에는 즉시 그 사실을 그에게 알려야 한다. "여보, 이제 난 기분이 훨씬 좋아졌어. 그 동안 난 그릇된 판단 때문에 고통을 받았다는 걸 깨달았어. 내가 당신과 나 자신에게 어떻게 고통을 안겨주었는지 이젠 알겠어. 이제 금요일 저녁은 걱정할 필요가 없어."

대개의 경우 화는 그릇된 판단에서 비롯된다. 고통의 원인을 캐어보고 그것이 그릇된 판단에서 빚어졌다는 사실을 알았을 때는 즉시 상대방에게 말을 해야 한다. 그는 나에게 고통을 주거나 파괴하길 바라지 않았는데, 단지 내가 그렇게 믿었을 뿐이다. 아버지이건 어머니이건, 자식 혹은 아내, 남편이건 우리는 누구나 우리의 판단을 깊이 성찰해봐야 한다.

❋

오랫동안 집을 떠나 있던 남자가 있었다. 그가 집을 떠날 때 아내는 임신을 하고 있었지만, 그는 그 사실을 몰랐다. 그가 집에 돌아왔을 때는 아내가 이미 자식을 낳은 뒤였다. 그는 아기가 자기의 자식이 아니라고 의심을 하고, 자주 일을 봐주러 오는 이웃집 남자의 자식일 거라고 믿었다. 그는 아기를 의심의 눈으로 보았다. 그는 아기를 미워했다. 그는 아기의 얼굴에서 이웃집 남자의 얼굴을 보았다. 어느 날 그의 동생이 처음으로 그의 집에 왔다. 아기를 보자 동생은 형에게 말했다. "형하고 똑같이 생겼어. 붕어빵이야." 동생이 형의 집을 방문한 것은 참으로 행복한 사건이 되었다. 그 덕분에 남자는 그 동안 그의 삶을 지배해왔던 그릇된 판단을 지워버릴 수 있었다. 그는 그 동안 말못할 고통을 받아왔었다. 그리고 물론 그는 아내에게도 말못할 고통을 주었으며, 아기도 고통을 받았다. 만약 그때 동생이 오지 않았더라면 그는 언제까지고 그 고통에서 벗어나지 못했을지도 모른다.

우리는 흔히 그릇된 판단에서 비롯된 행동을 한다. 그러나 우리가 내린 판단을 확신해서는 안 되는 경우가 훨씬 더 많다. 아름다운 석양을 보고 있을 때 우리는 태양이 바로 그 순간 하늘에 떠 있다고 믿을 것이다. 그러나 과학자들은 지금 그 태양이 실은 8분 전의 태양이라는 사실을 알고 있다. 태양의 빛이 지구에 도달하는 데는 대략 8분이 걸리기 때문이다. 마찬가지로 밤하늘의 별을 보고 있을 때 우리는 지금 그 별이 거기에 있다고 생각하겠지만, 그러나 실은 그 별은 이미 오래 전에, 천 년이나 2천 년 전에 사라진 별인지도 모른다.

우리는 우리의 모든 판단을 신중하게 재고해야 하며, 그렇지 않으면 고통을 당할 수 있다. "정말로 확신하는가?"라고 써서 잘 보이는 곳에 붙여 놓는 것이 매우 유익한 방법이다. 요즘 의사들은 "확실하더라도 다시 한 번 살펴보자"라는 내용의 경구를 써서 병원 벽에 붙여둔다고 한다. 질병을 조기에 발견하지 못하면 치료하기가 더 어려워진다는 점을 경계하겠다는 뜻이다. 의사들은 정신적인 견지에서 생각을 하지 않는다. 그들은 단지 숨어 있는 질병을 탐색해내려고 최선을 다하는 것이다. 그들의 슬로건은 우리에게도 매우 유익하다. 우리는 우리 나름의 판단으로 인해서 스스로에게 많은 고통을 안겨주었다. 우리 자신과 우리가 사랑하는 사람들을 지옥에 빠뜨렸던 경험을 누구나 갖고 있다.

그릇된 판단 하나 때문에 10년이고 20년이고 고통을 당하는 사람들이 있다. 그들은 남이 자기를 배신하거나 증오한다고 믿는다. 남은 그에 대해서 그저 선의만을 갖고 있을 뿐인데도 그렇게 믿는다. 그릇된 판단 때문에 자신에게 고통을 안겨주는 사람은 그의 주위에 있는 사람들에게도 엄청난 고통을 안기기 마련이다.

화가 나서 마음이 아플 때는 자신에게로 돌아가서 자신이 판단한 내용과 그 실체를 깊이 재고해봐야 한다. 그릇된 판단을 지울 수 있다면 평화와 행복이 다시 깃들 것이고, 주위 사람들을 다시 사랑할 수 있게 될 것이다.

anger — 17

속이 시원하려면 반드시 화해해야 한다

우리는 상대방과 언쟁으로 감정이 상할 때가 있다. 그 경우 반드시 분쟁의 당사자와 화해를 해야 한다. 그래야 서로의 불편함을 씻고 내 마음에 위안을 얻을 수 있다.

내가 최선을 다해서 분노의 원인을 들여다보고 있다는 것을 상대방이 알면, 그 사람도 그렇게 하고자 하는 동기가 유발될 것이다. 그는 자문할 것이다. "도대체 내가 무슨 짓을 했던 거지? 내가 무슨 말을 했기에 그 사람이 그리도 마음이 아팠지?" 그리고 그는 자신의 마음을 깊이 들여다볼 기회를 가질 것이다. 그는 자기가 이제까지 나의 마음을 아프게 해줄 만한 말이나 행동을 자주 했었다는 것을 깨달을 것이다. 나의 고통에 대해서 자기는 아무 책임도 없다고 믿어왔던 생각을 의심하기 시작할 것이다. 그리고 나에게 무슨 말이나 행동을 할 때, 미숙한 탓으로 본의 아니게 나의 마음을 아프게 했던 적이 잦았다는 것을 깨달으면 그도 이내 나에게 그 사실을 말해올 것이다.

두 사람 다 주중에 그 같은 깨달음을 얻으면, 금요일 저녁까지 기다릴 필요가 없다. 금요일 저녁에는 두 사람이 마주 앉아서 즐겁게 식사를 하고, 차를 마시고, 정담을 나눌 수 있다. 그리고 서로의 사랑을 마음껏 음미할 수 있을 것이다.

그러나 두 사람 다 주중에 그 깨달음에 이르지를 못했다면, 금요일 저녁에는 서로의 말에 깊이 귀를 기울이고 사랑의 말로 대화를 해야 한다. 화가 난 쪽은 자기의 가슴속에 들어 있는 것을 털어놓을 권리가 있다. 그 사람이 나의 배우자라면 나는 그저 말없이 그의 말을 들어주기만 해야 한다. 깊이 귀를 기울이기만 할 뿐 아무 반응도 하지 않을 것이라고 이미 다짐을 해두었기 때문이다. 연민의 정을 가지고 최선을 다해서 그의 말에 귀를 기울여야 한다. 평가나 비판이나 분석을 해서는 안 된다. 오로지 그가 자신의 마음속에 있는 것을 다 털어놓아서 고통에서 벗어날 수 있도록 돕겠다는 자세로 귀를 기울여야 한다.

자신의 고통을 상대방에게 말할 때는 마음속에 쌓여 있는 모든 것을 다 털어놓을 권리가 있다. 그것은 또한 의무이기도 하다. 상대방은 모든 것을 다 들을 권리가 있기 때문이다. 두 사람은 이미 그렇게 하기로 서로 다짐하고 약속했다. 그러므로 가슴속에 들어 있는 모든 것을 다 말해주어야 한다. 자애로운 말로 차분하게 자신의 심정을 다 털어놓아야 한다. 분개심이 고개를 들거나 흥분이 일어날 때는 당장 말을 그쳐야 한다. "지금은 더 말을 못 하겠어. 나중에 다시 만나서 얘기하면 안 될까? 호흡과 보행을 자각적으로 하는 수련을 좀더 해야겠어. 지금은 상태가 좋지 않아. 차분하게 말을 할 수가 없을 것 같아." 그러면 상대방도 이해를 하고 다음에 만날 때까지, 어쩌면 다음 주 금요일 저녁까지 기다려줄 것이다.

상대방의 말을 듣는 동안에도 호흡을 자각해야 한다. 의식적으로 호흡을 하면서 상대의 말에 귀를 기울이면 자신의 마음을 완전히 비울 수 있다. 연민의 마음으로 귀를 기울이고 자신의 전부를 그에게 던져놓는 채로 그의 앞에 앉아 있으면 그에게 위안을 줄 수 있다. 나의 마음속에는 연민의 씨앗이 있다. 그가 몹시 고통스러워하는 모습을 보면 그 씨앗이 싹을 틔우려 할 것이다. 그러므로 나는 관세음보살이나 다름없는 사람이 된다. 위대한 연민의 정을 베푸는 관세음보살은 단지 하나의 관념이 아니라 현실 속에 실재하는 인간이다.

anger—— 18

화난 상황을 즐기는 사람은 아무도 없다

상대방의 고통을 보지 못할 때 우리는 실수를 하게 된다. 나만이 고통을 당하고 있고 상대방은 나의 고통을 즐기고 있다고 믿는 경우가 허다하다. 그럴 때 우리는 야비하고 사나운 말과 행동을 하게 된다. 그러나 상대방도 깊은 고통을 당하고 있다는 사실을 알게 되면 나는 그에게 관세음보살이 되어줄 수 있다. 연민의 정을 베풀어줄 수 있고, 얘기를 듣는 동안 내내 그 정이 내 마음속에 살아 있게 할 수 있다. 내가 그에게 최고의 치료사가 되어줄 수 있다.

상대방이 매우 비판적으로 말을 할 수도 있다. 그는 남을 탓하고 비난하기에 바쁘며, 그의 말은 참으로 삐딱하고 신랄하다. 그러나 나의 마음속엔 연민의 정이 가득하므로 나는 전혀 흐트러지지 않는다. 연민이라는 정은 감로와도 같이 참으로 놀라운 것이 아닐 수 없다. 그것이 나의 마음속에 머물러 있는 한, 나는 결코 흐트러지지 않는다. 상대방이 무슨 말을 하건 그것이 나를 자극하여 화를 일으키지 못한다. 연민은 화라는 독을 걸러내는 최고의 약이기 때문이다. 연민 말고는 그 무엇도 화를 치유하지 못한다.

연민은 이해가 있을 때만 생길 수 있다. 그런데 무엇을 이해한다는 것인지? 상대방이 고통을 당하고 있으며 내가 그를 도와야 한다는 사실이 그것이다. 내가 돕지 않으면 누가 그를 도울 것인가? 상대방의 말에 귀를 기울이고 있으면, 그가 그릇된 판단을 숱하게 하고 있다는 사실을 알아차리게 될 것이다. 그렇더라도 말없이 듣고만 있어야 한다. 그가 그릇된 판단 때문에 마음의 상처를 받았다는 사실을 이미 알고 있기 때문이다. 그를 고쳐주려고 들면, 그가 자신의 가슴속에 쌓인 것을 다 털어놓지 못하도록 방해하는 셈이 된다. 그러므로 그저 말없이 앉아서 정신을 집중한 채로 그의 말을 듣고만 있어야 한다. 그러면 그것 자체가 그에게는 치료가 된다.

꼭 그의 그릇된 판단을 고쳐주고 싶다면, 때가 무르익을 때까지 기다려야 한다. 상대방의 말을 들을 때는, 가슴속에 들어 있는 것을 다 털어놓을 기회를 그에게 준다는 생각만을 해야 한다. 그에게 아무 말도 하지 말아야 한다. 이번 금요일 저녁은 전적으로 그가 말을 하는 시간이다. 나는 듣기만 한다. 그리고 며칠이 지난 후에, 그의 기분이 한결 좋아졌을 때, 그에게 그의 판단을 재고해볼 필요가 있다고 완곡하게 말해주는 것이 좋은 방법이다. "여보, 며칠 전에 당신이 했던 말,

그건 실은 그렇게 된 게 아니었어. 그건 실은…….” 그의 판단을 교정 해주려 할 때는 더욱 말을 조심해야 한다. 필요하다면 문제가 일어났던 그때 그 자리에 같이 있던 친구를 초대해서 실상을 설명해주게 하는 것도 좋다. 그러면 그는 자신이 그릇된 판단을 했다는 것을 깨닫고, 마음이 편안해질 수 있을 것이다.

anger—— 19

상대방의 화가 당장 풀어지기를 기대하지 마라

화는 살아 있는 생명체다. 화가 일어나면, 다시 가라앉을 때까지는 시간이 걸린다. 상대방의 화가 순전히 그의 그릇된 판단 때문에 빚어진 것임을 증명할 수 있는 증거가 확실하게 있다고 하더라도, 곧장 그걸 증명해주려고 들어서는 안 된다. 갈망과 시기 같은 모든 고뇌스러운 감정들이 다 그렇듯이, 화도 시간이 걸려야만 가라앉을 수 있다. 오해에서 화가 빚어졌다는 사실을 본인이 알고 있을 때도 마찬가지다. 선풍기의 전원을 끄더라도 선풍기는 한참을 더 돌다가 멈춘다. 화도 마찬가지다. 그 사람의 화가 당장 뚝 꺼지기를 기대해선 안 된다. 현실에서 그런 일은 절대 일어나지 않는다. 화가 서서히 가라앉을 때까지 기다려야 한다. 결코 서둘러선 안 된다.

인내는 참사랑의 증거다. 아버지가 아들이나 딸에게 사랑을 보여주기 위해서는 인내심을 가져야 한다. 어머니도 아들도 딸도 마찬가지다. 타인을 사랑하고자 한다면 먼저 인내를 배워야 한다. 인내심이 없으면 결코 남을 도울 수도 없다.

우리는 또 자신에 대해서도 인내심을 가져야 한다. 자신의 화를 끌어안는 것을 실천하는 데는 시간이 많이 걸린다. 그러나 단 5분 동안만 호흡과 보행을 자각하면 어느 정도까지는 그것을 실천할 수 있다. 5분으로 모자라면 10분, 10분으로 모자라면 15분…… 아낌없이 시간을 들이자. 호흡과 보행을 자각하는 것은 화를 끌어안기 위한 더없이 좋은 비결이다. 조깅도 매우 효과적일 수 있다. 이것은 감자를 삶을 때 적어도 15분이나 20분 정도 가열을 해야 하는 것과 마찬가지 이치다. 날감자를 먹을 수는 없다. 화를 처리하기 위해서 우리는 그것을 자각이라고 하는 불로 가열해서 익혀야 한다. 그러기 위해서는 10분이 걸릴 수도 있고 20분이 걸릴 수도 있고, 그 이상의 시간이 걸릴 수도 있다.

❋

감자를 삶을 때는 열이 발산되지 않도록 냄비 뚜껑을 닫아둔다. 이것이 곧 집중이다. 화를 끌어안기 위해서 호흡과 보행을 의식적으로 할 때는, 다른 것을 해서는 안 된다. 라디오를 들어도 안 되고 텔레비전을 봐도 안 되고 책을 읽어서도 안 된다. 냄비 뚜껑을 닫듯이 자기를 닫아놓아야 한다. 보행 명상을 하고, 의식적인 호흡을 하고, 자신의 백 퍼센트를 던져서, 마치 칭얼대는 아기를 품에 안고 있듯이 화를 끌어안아야 한다.

한참 동안 화를 끌어안고 가만히 들여다보고 있으면, 어떤 통찰이 생기고 화가 사그라들기 시작한다. 기분이 한결 좋아질 것이고, 상대방에게 가서 그를 돕고자 하는 마음이 생길 것이다. 이것은 이윽고 냄비 뚜껑을 열었을 때 향기로운 냄새가 풍기는 것과 마찬가지다. 화의 에너지가 자애의 에너지로 변한 것이다.

이런 변화는 실제로 가능한 일이다. 이것은 마치 튤립이 피어나는 것과 똑같은 이치다. 태양의 에너지가 강렬해지면 튤립은 봉오리를 열고 그 속을 태양에게 보여주지 않을 수 없다. 우리의 화는 일종의 꽃이다. 우리는 그 꽃에다가 자각이라는 햇빛을 흠뻑 비춰주어야 한다. 그러면 자각의 에너지가 화의 에너지 속으로 침투한다. 그리고 5분이나 10분쯤 지나면 화에서 변화가 일어나기 시작한다.

식물이 햇볕에 민감한 것과 마찬가지로 화, 시기, 절망과 같은 정신적 현상들은 자각에 대해서 매우 민감하게 반응한다. 자각의 에너지를 기르면 우리는 우리의 몸과 마음을 치유할 수 있다. 자각의 에너지는 곧 부처의 에너지이기 때문이다. 기독교에서는 예수가 신의 에너지를, 성령을, 그분의 안에 갖고 있다고 말한다. 그분이 수많은 사람들을 치료할 수 있었던 것은 바로 그 때문이다. 그분이 가진 치유의 에너지를 성령이라고 한다. 불교의 언어로 표현하면 그 에너지는 부처의 에너지, 자각의 에너지다.

자각 속에는 집중과 이해와 연민의 에너지가 들어 있다. 그러므로 불교의 명상을 실천하는 것은 곧 우리에게 집중과 연민과 이해와 사랑과 행복을 가져다줄 에너지를 만들어내기 위한 수련이다. 수련원에서는 모두가 함께 수련을 한다. 그리하여 강력한 집단적 에너지를 만들고, 그것으로 모두를 감싸안고 보호한다.

단 한 번의 수련으로도 우리는 우리의 화를 보살필 힘이 생겼다는 것을 깨닫는다. 우리 자신과 우리가 사랑하는 사람들 모두에게 승리를 안겨준 것이다. 우리가 패배하면 우리가 사랑하는 사람들도 패배한다. 우리가 승리하면 우리만이 아니라 우리가 사랑하는 사람들에게도 승리가 돌아간다. 그러므로 그들은 우리의 수련의 힘을 모른다고 하더라도, 우리는 우리 자신뿐만이 아니라 그들을 위해서도 수련을 할 수 있다. 그들이 수련을 자청하고 나올 때까지 기다릴 필요는 없다. 우리의 수련은 곧 그들 모두를 위한 것이기 때문이다.

anger — 20

남을 용서하는 것도 화풀이의 한 방법이다

누구에게나 한 번쯤 부모님들과 전혀 대화를 할 수 없었던 경험이 있을 것이다. 그 순간은 한 집에 살면서도 아버지나 어머니가 멀리 있는 존재처럼 느껴진다. 서로 피 한 방울 섞이지 않은 사이인 듯 말 한 마디 없이 냉랭히 지내기도 한다. 상황이 그렇게까지 악화되면 부모도 자식도 서로 고통스럽기는 마찬가지다. 쌍방 모두가 그들 사이에는 오해와 증오와 분열만이 존재한다고 굳게 믿는다.

대화가 단절된 부모와 자식들은 서로 많은 것을 공유하고 있다는 사실을 모른다. 그들은 서로를 이해하고 용서하고 사랑할 힘이 있다는 사실을 모른다. 그러므로 우리는 화와 같은 부정적인 감정들이 우리를 지배하는 것을 예방하기 위한 긍정적인 힘이 우리 안에는 늘 있다는 사실을 깨달아야 한다.

❋

비가 내릴 때 우리는 햇빛이 없다고 생각한다. 그러나 비행기를 타고 높이 올라가 구름 속으로 들어가보면 다시 햇빛을 보게 된다. 햇빛이 늘 거기에 있었다는 사실을 우리는 그제야 새삼 깨닫는다. 이것과 마찬가지로, 분노와 절망의 순간에도 우리의 사랑은 여전히 그 자리에 있다. 대화하고 용서하고 연민의 정을 베풀 능력이 늘 거기에 있다. 우리는 이것을 반드시 믿어야 한다.

우리에겐 분노와 고통이란 감정만이 있는 게 아니다. 우리의 마음속에는 사랑하고 이해하고 연민을 가질 능력이 있다는 것을 늘 깨달아야 한다. 그러한 사실들을 잊지 않고 있으면 비가 내릴 때도 절망하지 않을 수 있다.

온 세상이 어두운 채로 비가 내리고 있지만 때가 되면 다시 태양이 나타날 것이다. 희망을 가져야 한다. 나와 타인의 마음속에는 긍정적인 요소들이 있다는 사실을 상기할 수 있으면 두 사람 사이의 그 어떠한 감정도 극복될 수 있으며, 그리하여 두 사람 모두에게 최선의 것이 발현된다는 사실을 깨달을 수 있다.

바로 그것을 위해서 우리는 수련을 한다. 수련을 통해서 우리는 햇빛의 존재를 깨닫고, 부처의 존재를 깨닫고, 우리의 마음속에 있는 선을 깨닫고, 그리하여 우리가 처해 있는 상황을 바꿀 수 있다.

우리는 스스로 평화를 가져올 능력이 있다는 사실을 깊이 깨달아야 한다. 우리 안에 있는 부처의 에너지에 대한 확신을 키우자. 우리에게 필요한 것은 단지 부처의 에너지에 의지해서 도움을 구하는 것뿐이다. 우리는 이러한 깨달음을 의식적인 호흡과 보행과 좌정으로써 실천할 수 있다.

anger —— 21

내게 화내는 사람의 말을 경청하라

타인과 의사를 교류한다는 것 자체가 하나의 수련이다. 타인과 의사를 교류하기 위해서는 기술이 필요하다. 선의만으로는 충분하지가 않다. 그 방법을 특별히 배우지 않으면 안 된다. 남의 말에 귀를 기울여줄 능력을 상실했을 때가 있다. 타인이 참으로 쓰리고 아픈 말만을 해대면서 남을 비난하고 경멸하고, 그래서 그의 말을 더이상 듣기가 지겨워질 수 있다. 그럴 때는 더이상 그의 말을 들어줄 수가 없다. 그리하여 그를 피하기 시작할 것이다. 그 사람의 말을 들어줄 힘이 없기 때문이다.

그 사람을 피하는 것은 그의 말을 듣는다는 게 두렵기 때문이다. 그로 인해서 내가 고통을 당하고 싶지 않기 때문이다. 그러나 그를 피하면 또 오해가 빚어질 수 있다. 그 사람은 내가 자기를 경멸한다고 생각할 것이다. 그러면 또 엄청난 고통이 빚어질 수 있다. 내가 그를 피하고 무시한다는 인상을 줄 것이기 때문이다. 그리하여 그 사람을 대면할 수도 없고, 마냥 피하기만 할 수도 없는 난처한 입장에 빠진다. 그럴 경우에는 그와의 의사 교류의 길을 다시 트기 위한 훈련을 하는 것만이 유일한 해결책이다. 특별히 훈련을 해서 그의 말을 끝까지 주의 깊게 들어주어야 한다.

수많은 사람들이 마음의 고통을 안고 있다. 그들은 아무도 그들과 그들이 처한 상황을 이해하지 못한다고 생각한다. 남들은 제각기 자기의 일에 분주하기만 할 뿐이고, 아무도 자기의 말에 귀를 기울여 줄 것 같지가 않다고 생각한다. 그러나 우리는 누구나 우리의 말에 깊이 귀를 기울여줄 사람을 필요로 한다.

요즘엔 심리치료사라는 사람들이 많이 활동하고 있다. 그들은 마음의 고통을 안고 있는 사람들의 말을, 그들이 가슴을 다 열어젖힐 수 있을 때까지 말없이 들어준다. 진정한 심리치료사가 되기 위해서는 먼저 상대방의 말에 깊이 귀를 기울일 수 있어야 한다. 진정한 심리치료사는 절대로 편견을 갖지 않고 판단을 내리지도 않은 채, 자신의 모든 것을 다 바쳐서 상대방의 말에 귀를 기울이는 능력을 갖고 있어야 한다.

심리치료사 자신도 많은 고통을 안고 있는 사람일 수 있다. 환자 앞에 앉아서 귀를 기울이고 있을 때, 그의 마음속에 들어 있는 고통의 씨앗들에 물이 뿌려질 수도 있다. 그가 자신의 고통에 마음을 빼앗긴다면, 어떻게 상대방의 말을 제대로 들어줄 수 있겠는가? 그러므로 진짜 심리치료사가 되기 위해서는 깊이 귀를 기울이는 방법을 훈련을 통해서 익혀야 한다.

상대방의 말을 들으면서 그와의 공감을 이루기 위해서는, 내가 그의 말을 진정으로 듣고 있으며 그의 심정을 진정으로 이해한다는 것을 그가 느낄 수 있게 해주어야 한다. 그러나 그렇게 할 수 있는 사람이 우리 중에 과연 몇이나 될 것인가? 온 마음을 다해서 귀를 기울여야만 남의 말을 진정으로 들을 수 있다는 것을 누구나가 안다. 그의 말이 내게서 경청되고 그의 심정이 이해되고 있다는 걸 상대방이 느낄 수 있게 해주어야 한다는 것을 안다. 그럴 때에야 그에게 진정으로 위안을 줄 수 있다. 그러나 그렇게 할 수 있는 사람이 과연 우리 중에 몇이나 될까?

연민의 마음으로 남의 말을 깊이 들어주려면 그가 얘기한 것을 분석해서도 안 되고 과거에 무슨 일이 있었는지를 밝혀내려고 해서도 안 된다. 오로지 그가 가슴에 쌓인 것을 다 털어놓고, 그의 심정을 충분히 이해하는 사람이 있다는 것을 느끼게 해줌으로써, 그에게 위안을 준다는 자세로 그저 듣기만 해야 한다. 남의 말에 깊이 귀를 기울인다는 것은 그의 말을 듣고 있는 동안에 연민의 정이 나의 마음속에 살아 있게 하는 것이다. 그 동안에는 오직 한 가지만을 생각해야 하고, 오직 한 가지만을 소망해야 한다. 가슴을 활짝 열어젖힘으로써 거기에 쌓인 고통을 모두 털어낼 기회를 주는 것이다. 그것이 유일한 목적이어야 한다. 분석을 하거나 과거의 일을 다시 따지거나 하는 것은 단지 부산물일 뿐이어야 하고, 오로지 연민의 정으로 그의 말을 끝까지 들어주어야 한다.

❋

남의 말을 듣는 동안에 연민의 정이 나의 마음속에 살아 있게 해두면 화와 분개심 같은 것이 고개를 들지 못한다. 연민의 정을 갖지 않으면, 그가 말한 것이 나에게서 분개심과 화와 고통을 일으킬 수 있다. 그것을 막아줄 수 있는 것은 오직 내가 그에게 지극한 연민의 정을 갖는 것뿐이다.

따라서 우리는 관세음보살처럼 위대한 존재가 되고 싶어질 것이다. 상대방이 엄청난 고통을 당하고 있으며, 내가 그에게로 가서 구원해주길 기다리고 있다는 것을 알기 때문이다. 그러나 그렇게 하기 위해서는 우리가 먼저 마땅한 장비를 갖추어야 한다.

소방관이 불을 끄러 갈 때는 먼저 제대로 장비를 챙겨야 한다. 사다리와 물을 갖추어야 하고, 불길로부터 자신의 몸을 보호해줄 옷을 입어야 한다. 그들은 불을 끄는 방법뿐만이 아니라 자신의 몸을 지키기 위한 방법을 알고 있어야 한다. 마음의 고통을 안고 있는 사람의 말에 귀를 기울인다는 것은 소방관이 불길 속으로 들어가는 것이나 마찬가지다. 그 사람은 지금 화와 고통이라는 불길에 휩싸여 있다. 장비를 제대로 갖추지 않은 채 그 불길 속에 들어가면, 그를 도울 수도 없을 뿐만 아니라 나마저도 불길에 휩싸일 수 있다.

그 장비가 바로 연민의 정이다. 우리는 의식적인 호흡을 통해서 그것이 마음속에 살아 있게 할 수 있다. 호흡을 의식적으로 하면 자각의 에너지가 생성된다. 호흡을 의식적으로 하고 있으면, 상대방으로 하여금 그의 가슴속에 쌓인 것을 다 털어놓게 해주고자 하는 목표를 잃지 않을 수 있다. 그가 남을 비꼬고 비난하고 판단하는 말을 잔뜩 늘어놓을 수 있을 것이고, 그리하여 내게서 고통이 촉발될 수 있다. 그러나 의식적인 호흡을 통해서 연민의 정이 마음속에 살아 있게 하면 나는 흔들리지 않는다. 그저 가만히 앉아서 그의 말에 끝까지 귀를 기울일 수 있다. 연민의 정이 나의 마음을 기름지게 하는 거름이 되어서, 내가 지금 그가 고통을 덜어내도록 돕고 있다는 사실을 망각하지 않을 수 있다. 나는 그에게 최고의 심리치료사가 되어줄 수 있다. 내가 그에게 살아 있는 관세음보살이 되어줄 수 있다.

연민의 정은 행복과 이해에서 나온다. 연민의 정과 이해심이 마음속에 살아 있는 한 나는 안전하다. 그의 말이 나에게 고통을 주지 못할 것이고, 깊이 귀를 기울이기만 할 수 있다. 연민의 정을 가득 품은 채 진정으로 귀를 기울이지 않을 때는 그가 그걸 알게 된다. 머릿속에 온갖 잡다한 생각이 가득할 뿐, 그저 건성으로 듣는 척만 하고 있다는 것을 그가 알게 된다. 이해심을 갖고 있을 때 우리는 연민의 정을 갖고 깊이 귀를 기울일 수 있다. 그리고 그 자질은 수련을 통해서 얻어지는 결실이다.

anger—22

각자의 모자람을 스스로 인정하라

고통을 맛보지 않으면 우리는 연민의 정을 기를 수가 없고, 행복을 제대로 음미할 수 없다. 고통이 무엇인지를 모르는 사람은 진정한 행복이 무엇인지도 알 수 없다. 그러므로 고통을 감당하는 것 또한 우리에겐 하나의 수련이 된다. 그러나 우리에게는 저마다 한계가 있다. 우리는 누구나 자기가 가진 능력만큼만 할 수 있다. 우리가 스스로를 잘 보살펴야 하는 이유가 바로 이것이다.

남으로부터 온통 고통과 화로 가득한 말을 들으면 나의 마음이 다치게 된다. 그의 고통만이 나에게 전해질 뿐, 다른 긍정적인 감정들이 내게로 전해질 기회를 갖지 못한다. 그리하여 내 마음의 균형이 무너진다. 그러므로 하루하루 삶 속에서 우리는 고통을 드러내지 않는 것들과 늘 접촉을 하도록 노력해야 한다. 푸른 하늘, 맑게 노래하는 새, 나무, 꽃, 어린아이—우리와 우리 주위를 신선하게 해주고, 치유해주고, 거름이 되어주는 것들을 늘 접해야 한다.

이따금 우리는 우리 자신의 고통과 불안에 마음을 빼앗기는 때가 있다. 그럴 때는 친구들이 우리를 구해준다. "오늘 아침은 유난히 하늘이 아름다워. 안개가 끼었지만, 정말로 아름다워. 여기가 바로 낙원이야. 자네도 그저 다 잊어버리고, 저 하늘을 좀 봐." 우리는 누구도 혼자 살지 않는다. 행복할 능력을 가진 형제 자매들과 함께 살아간다. 우리가 삶의 긍정적인 면으로 되돌아갈 수 있도록 늘 우리를 도와주는 사람들이 주위에 있다. 삶의 긍정적인 면을 되찾는 것, 그것은 우리의 삶에 거름을 주는 것이다.

우리는 누구나 기쁨과 평화와 애정을 갖고서 하루하루를 살아가야 한다. 세월이 너무도 빠르게 흐르기 때문이다. 나는 매일 아침마다 부처님 앞에 나가서 향을 피운다. 그리고 나에게 주어진 삶의 모든 순간들을 즐기리라고 다짐한다. 내가 하루하루 삶의 모든 순간을 즐길 수 있는 것은 의식적인 호흡과 보행을 늘 실천하기 때문이다. 의식적인 호흡과 보행은 나에게 마치 절친한 친구 두 명과 같다. 나를 지금 이곳에 존재하게 해주고, 삶에서 일어나는 모든 놀라운 일을 감지하게 해준다.

우리는 매순간 삶의 온갖 거름을 받아들여야 한다. 종소리를 들으면 마음이 살찌고 기분이 상쾌해진다. 플럼빌리지에서는 전화가 울리거나 시계가 울리고 종이 울릴 때마다 제각기 하던 일을 멈춘다. 그것은 자각을 일깨우는 소리다. 종소리를 들을 때, 우리는 몸이 편안해지고 심호흡을 한다. 우리가 지금 살아 있다는 사실을 새삼 깨닫고, 우리 앞에 주어진 삶의 경이로움을 감지한다. 우리는 기쁜 마음으로 자연스럽게 일손을 멈춘다. 마음이 그리도 가벼울 수가 없다. 일손을 멈출 때 평화와 고요가 다시 우리에게 깃들고, 참다운 자유를 느낀다. 그러면 일이 더욱 즐거워지고, 주위의 모든 사람들의 존재를 더욱 확실히 느끼게 된다.

종소리와 함께 일손을 멈추고 심호흡을 하는 것은 하루하루 삶의 모든 아름답고 기름진 요소들을 나의 것으로 받아들이기 위한 일종의 수련이다. 우리는 이것을 혼자서도 할 수 있지만, 여럿이 함께 하면 더욱 효과가 크다. 우리는 늘 타인들과 함께 살아간다. 내가 고통에 마음을 빼앗겼을 때는 그들이 나를 구해주고, 삶의 긍정적인 면들을 보도록 도와준다.

우리의 한계를 깨닫는 것이 매우 중요하다. 그것 역시도 하나의 수련이다. 정신적 스승으로서 타인의 고통에 귀를 기울이는 특별한 능력을 가진 사람이라 할지라도 자신의 한계를 분명히 알아야 한다. 그도 보행 명상을 실천해야 하고, 차 한 잔을 진정으로 마실 수 있어야 한다. 행복한 사람들과 접촉하여 자신의 마음을 살찌우는 데 필요한 거름을 받아들여야 한다. 타인의 말에 진정으로 귀를 기울이기 위해서 우리는 먼저 우리 자신을 보살펴야 한다.

한편으로는 날마다 우리에게 필요한 자양분을 흡수해야 하고, 또 한편으로는 타인들의 말에 진정으로 귀를 기울일 수 있게 해주는 연민의 마음을 길러야 한다. 우리는 누구나 관세음보살이 되어야 한다. 스스로 지극한 행복 속에서 살고, 고통 속에서 사는 타인들을 구해줄 능력을 가진 사람이 되어야 한다.

anger_23

화는 신체장기와 같아 함부로 떼어버릴 수 없다

아버지와 어머니는 당연히 자식들의 말에 귀를 기울여야 한다. 자식은 곧 부모 그 자신이기 때문이다. 자식은 부모의 연속이다. 그러므로 부모가 자식들과 의사를 소통할 길을 열어두는 것보다 더 중요한 것은 없다. 심장에 이상이 생겼거나 위에 병이 났다고 해서 우리는 심장이나 위를 떼어버리지 않는다. "넌 내 심장이 아니야. 내 심장은 이런 짓을 하지 않아! 넌 내 위가 아니야. 내 위는 이런 짓을 하지 않아! 어디, 너희가 하고 싶은 대로 해봐!"라고 말할 수는 없다. 누구도 그렇게 말을 할 리가 없다. 물론, 아들이나 딸에게 그렇게 말할 부모는 아무도 없다.

자식이 잉태되는 순간에 어머니는 자신과 태아가 하나임을 안다. 그리고 아기와 대화를 시작한다. "난 네가 거기 있다는 걸 알아." 어머니는 몸 속의 자식에게 사랑의 말로 대화를 시작한다. 그리고 음식을 가려서 먹는다. 어머니가 먹고 마시는 것을 자식도 먹고 마시기 때문이다. 어머니의 마음이 불안하면 자식의 마음도 불안하고, 어머니가 기쁘면 자식도 기쁘다. 어머니와 자식은 한 몸이기 때문이다.

아기가 태어나고 탯줄이 끊기면, 그 일체감이 흐려지기 시작한다. 자식이 열두어 살이 되면 자식이 곧 나라는 믿음이 완전히 사라진다. 자식이 나와는 별개의 존재라고 생각한다. 그리고 문제가 생기기 시작한다. 자식과의 사이에 문제가 생긴다는 것은 나의 심장과 위장에 병이 든 것과 마찬가지 일이다. 자식을 타인이라고, 나와는 별개의 존재라고 믿고 험한 말을 하게 된다. "저리 가! 넌 내 아들이 아니야! 내 아들은 이런 짓을 하지 않아. 넌 내 딸이 아니야! 내 딸은 이런 짓을 하지 않아." 그러나 병든 심장이나 위장한테 그런 말을 할 수 없는 것처럼, 부모도 아들이나 딸에게 그런 말을 할 수는 없다. 부처는 "저 혼자 존재하는 생명은 없다"고 말했다. 부모와 자식은 조상 대대로 이어져온 무수한 세대 중의 일부일 뿐이다. 우리 모두는 삶이라는 길고 긴 흐름의 한 지점에 서 있을 뿐이다. 자식이 어머니의 자궁 속에 있을 때 그러했던 것처럼, 자식의 행동은 부모에게 지속적으로 영향을 준다. 부모의 행동도 또한 자식들에게 깊은 영향을 준다. 자식은 부모에게서 분리될 수 없기 때문이다. 부모의 행복이 자식의 행복이고, 자식의 고통이 부모의 고통이다. 그러므로 우리는 우리의 백 퍼센트를 던져서 부모와 자식 간의 의사 교류의 길을 환히 열어두어야 한다.

❋

혼란과 무지로 인해서 부모는 자기들만 고통을 당한다고 생각하게 된다. 아들과 딸은 전혀 고통스러워하지 않는다고 믿는다. 그러나 부모가 고통을 당할 때는 자식도 고통을 당한다. 아들과 딸의 모든 세포 속에는 부모가 있다. 자식의 마음속에 있는 모든 것이 부모의 마음속에도 있다. 그러므로 부모와 자식이 하나라는, 처음의 그 깨달음을 우리는 늘 기억해야 한다. 그러기 위해서는 부모와 자식 간의 대화가 시작되어야 한다.

우리는 누구나 과오를 범해왔다. 가령, 우리는 그릇된 식생활과 온갖 근심걱정으로 위와 장과 심장에 병을 일으켰다. 그것은 순전히 우리 자신의 탓이다. 그와 마찬가지로 자식의 문제는 바로 부모의 문제가 된다. 부모에겐 책임이 없다고는 절대 말할 수 없다. "애야, 네가 고통을 당하고 있다는 걸 잘 안다. 오랫동안 네가 어떤 고통을 받아왔는지 내가 다 알아. 네가 고통스러우면 나도 고통스럽단다. 자식이 고통을 당하는데 내가 어떻게 행복할 수 있겠니? 좋은 방법이 없을까? 같이 노력해서 해결책을 찾아볼 수 없을까? 대화를 할 수 없을까? 난 진심으로 너하고 대화를 하고 싶어. 그렇지만 나 혼자서는 아무것도 할 수가 없어. 네가 나를 좀 도와주렴."

아버지나 어머니가 자식에게 이렇게 말하면, 상황이 크게 달라질 것이다. 그것은 사랑과 이해와 깨달음에서 나온 말이기 때문이다. 부모와 자식은 하나이며, 행복과 평화는 어느 한 쪽에서만 이루어질 수 있는 것이 아님을 깨닫고 있기 때문이다. 그것은 부모와 자식이 함께 이루는 것이다. 그러므로 부모가 자식에게 하는 말은 사랑과 이해에서, 서로가 별개의 존재가 아님을 이해하는 데서 나온 말이어야 한다. 부모는 자신과 자식의 진정한 본성을 이해하기 때문에 그렇게 말할 수 있다. 부모와 자식은 서로가 서로에게 의지할 때만 존재할 수 있다. 부모가 곧 자식이고 자식이 곧 부모다. 그들은 서로에게 별개의 존재가 아니다.

매순간을 자각하면서 살아가는 훈련을 하자. 대화의 길을 열기 위해서는 먼저 그 기술을 익혀야 한다. "사랑하는 아들아, 나는 네가 곧 나라는 사실을 알고 있단다. 넌 나의 연속이고, 네가 고통을 당하면 나는 절대로 행복할 수가 없단다. 그러니까 우린 힘을 합해서 문제를 해결해야 해. 제발 날 도와줘." 그러면 아들도 똑같은 심정이 될 것이다. 아버지가 고통을 당하는 한은 자기가 행복해질 수 없다는 걸 잘 알 것이기 때문이다. 자각을 실천함으로써 아들은 아버지와 자기가 별개의 존재가 아님을 깨달을 것이고, 그리하여 아버지와 대화의 길을 다시 열 수 있을 것이다. 어쩌면 아들이 먼저 아버지를 대화로 이끌 수도 있을 것이다.

이것은 부부간에도 마찬가지다. 부부는 둘이서 하나로 살기로 다짐을 한 사이다. 부부는 행복도 고통도 함께 나눌 것이라고 진심으로 맹세를 했다. 그러므로 어느 쪽이 다른 쪽에게 서로의 관계를 새롭게 하기 위한 도움을 청하는 것은 그 맹세의 연속일 뿐이다. 우리는 누구나 그런 말을 하고 또 들어줄 능력을 가지고 있다.

anger___ 24

행복이 눈앞에 있다는 사실을 잊지 마라

결혼 전 남편한테서 받은 옛 연애편지를 고이 간직해온 프랑스 여자가 있었다. 연애 시절 남편은 그녀에게 참으로 아름다운 편지를 많이 보냈다. 편지를 받을 때마다 그녀는 문장 하나 낱말 하나를 깊이 음미했다. 참으로 달콤하고 이해가 넘치고 사랑으로 가득한 편지였다. 이루 말할 수 없는 기쁨을 주었던 그 편지들을 그녀는 과자상자에 보관했다. 어느 날 아침에 옷장을 정리하다가 그녀는 옛 연애편지들을 넣어두었던 상자를 우연히 발견했다. 그녀는 오랫동안 그걸 잊고 지내왔다. 그 상자가 그녀에게 참으로 아름다웠던 그 시절의 얘기를 들려주었다. 젊은 시절에 그들은 서로를 지극히 사랑했고, 서로가 없이는 살 수가 없다고 믿었다.

그러나 지난 몇 년 동안에 남편도 아내도 많은 고통을 당해왔다. 그들은 더이상 기쁜 마음으로 서로를 대할 수가 없었다. 즐겁게 대화를 나누지도 못했다. 물론 이제는 서로 편지를 주고받지도 않았다. 아내가 그 상자를 발견하기 전날, 남편은 사업차 출장을 떠났다. 그는 집에 있는 게 즐겁지가 않았고, 그래서 잠시나마 편하고 즐겁게 지낼 수 있을 거라고 잔뜩 기대하면서 집을 떠났다. 아내도 그걸 알고 있었다. 남편이 뉴욕에서 회의가 있다고 말했을 때 그녀는 그저 덤덤하게 잘 다녀오라고만 말했다. 그녀는 그런 일에 익숙해질 대로 익숙해져 있었다. 그들 사이에서 그런 일은 그저 일상사일 뿐이었다. 그런데 남편은 예정대로 집에 돌아오질 않고 집으로 전화를 걸어서 며칠 더 걸릴 거라고 말했다. 그녀는 그것도 그저 아무렇지 않게 받아들였다. 남편이 집에 없어도 그녀는 불행하지 않았다.

전화를 끊은 후에 그녀는 옷장을 정리하다가 그 상자를 보았다. 참으로 오랜만에 상자의 뚜껑을 열었을 때 그녀는 묘한 기분이 들었다. 뚜껑을 열자 친숙한 향기가 확 풍겼다. 그녀는 편지들을 꺼내서 읽기 시작했다. 얼마나 달콤했던 편지였던가! 그는 이해와 사랑이 넘치는 말만을 골라서 썼다. 메말랐던 땅에 마침내 비가 내린 것처럼, 그녀의 기분이 매우 싱그러워졌다. 그녀는 그 놀라운 편지들을 하나하나 넘겨보았다. 이윽고 그녀는 상자를 테이블에 갖다놓고 앉아서 하나씩 읽기 시작했다. 예전 그 행복의 씨앗들이 아직 고스란히 남아 있었다. 켜켜이 쌓인 고통 속에 묻혀버렸지만, 그 씨앗들은 죽지 않고 아직도 살아 있었다. 젊은 시절에 남편이 그녀에게 보냈던 사랑만이 가득한 편지들을 읽고 있을 때, 그녀의 마음속에 들어 있던 행복의 씨앗에 물이 뿌려지는 것을 그녀는 느낄 수 있었다.

그러한 경험을 할 때, 우리는 누구나 우리의 의식 속에 깊숙이 묻혀 있던 행복의 씨앗에 물이 뿌려지는 셈이 된다. 최근에 그녀의 남편은 연애시절에 했던 것과 같은 말을 한 번도 한 적이 없었다. 그러나 지금 옛 연애편지를 읽으면서 그녀는 남편이 예전처럼 달콤하게 말하는 목소리를 들을 수 있었다. 행복이 늘 그들과 함께 있던 것이다. 그런데 왜 그들은 지금 그리도 참담하게 된 것일까?

❋

옛 연애편지를 읽던 한 시간 반 동안에 그녀는 자신의 마음속에 들어 있던 행복의 씨앗에 물을 뿌려준 것이다. 그녀는 남편도 자기도 서로에게 미숙했던 탓이라는 것을 깨달았다. 그 동안 그들은 서로가 서로의 고통의 씨앗에 물을 뿌렸을 뿐, 행복의 씨앗에는 물을 주지 못했던 것이다. 옛 연애편지를 다 읽은 뒤에 그녀는 갑자기 남편에게 편지가 쓰고 싶어졌다. 그 시절에는 그들이 얼마나 행복했었는지를 남편에게 말해주고 싶었다. 그녀는 그 행복했던 황금 시절로 다시 돌아가고 싶다고 썼다. 그리고 이제 그녀는 "사랑하는 당신에게"라는 말을 진심으로 솔직하게 남편에게 할 수 있었다.

그녀는 정성껏 편지를 썼다. 그것은 진정한 연애편지였다. 오랫동안 과자상자 속에 묻혀 있던 예전 그 연애편지를 썼던, 그 매력적인 남자에게 보내는 그녀의 새로운 연애편지였다. 그의 옛 편지를 읽고 또 그에게 전할 편지를 쓰는 데 세 시간이 걸렸다. 그 시간이 그녀에게는 수련의 시간이었다. 다만 그녀 자신이 그 사실을 깨닫지 못했을 뿐이다. 편지를 쓴 후에 그녀는 마음이 매우 가벼워진 것을 느꼈다. 남편이 출장에서 돌아오지 않아 아직 편지를 전해주진 못했지만, 그녀는 이미 기분이 좋아진 상태였다. 행복의 씨앗이 다시 깨어났고 거기에 물이 뿌려졌기 때문이다. 그녀는 남편의 방으로 가서 책상 위에 편지를 놓았다. 그녀는 행복했다.

옛 연애편지를 읽고 남편에게 편지를 쓰는 동안 그녀는 어떤 깨달음을 얻었다. 두 사람 모두가 그 동안 미숙했었다는 것을, 미숙했기 때문에 마땅히 누려야 할 행복을 보전하지 못했다는 것을 가슴 깊이 깨달았다. 그들은 서로에게 상처를 주는 말과 행동을 반복해왔다. 가족으로서, 부부로서의 삶을 서로가 받아들였지만 그들은 행복하지를 못했다. 그런 사실을 이해하자 그녀는 이제부터라도 둘이서 노력을 하면 다시 행복을 되찾을 수 있을 거라는 자신감을 가질 수 있었다. 그녀의 마음은 이제 희망으로 가득찼다. 지난 여러 해 동안처럼 더이상 고통스럽지가 않았다.

집에 돌아온 남편이 책상 위에 놓인 편지를 보았다. 편지에는 이렇게 쓰여 있었다. "그 동안 우리가 고통을 당했던 데는 내 책임이 없다고 할 수 없어요. 우리가 행복하지 못했던 것은 내 책임이 더 컸을 거예요. 여보, 우리 다시 시작해요. 다시 서로에게 마음을 열어보자고요. 평화와 화해와 행복을 다시 우리 것으로 만들어보자고요." 그는 오랫동안 자리에 앉아서 편지를 읽고, 아내의 말을 가슴 깊이 생각해 보았다. 그 순간 그는 스스로 깨닫지 못했지만 명상을 실천하고 있었다. 아내의 편지를 읽으며 그의 마음속에서도 이미 행복의 씨앗에 물이 뿌려지고 있었기 때문이다. 그는 오랫동안 책상 앞에 앉아서 깊이 자신의 마음을 들여다보고, 그 전날 아내에게서 일어났던 그 깨달음에 도달했다. 그 일을 계기로 그들 부부의 관계는 개선되었고, 행복을 되찾을 기회를 얻게 되었다.

요즘은 사람들이 사랑하는 사이에서도 거의 편지를 주고받지 않는다. 전화를 걸어서 "그새 잘 있었어? 밖에서 만날까?"라고 말할 뿐이다. 그러므로 그들에게는 간직할 것이 아무것도 없다. 참으로 애석한 일이 아닐 수 없다. 우리는 연애편지를 쓰던 그 시절로 다시 돌아가야 한다. 사랑하는 사람들에게 편지를 쓰자. 아버지와 아들 사이에서도 편지를 통해 대화를 하자. 딸과 어머니, 자매와 친구들 사이에서도 편지를 주고 받자. 감사와 사랑의 마음을 편지로 적어 사랑하는 사람들에게 전하자.

*

마음의 문을 다시 여는 데는 여러 가지 방법이 있다. 아들과 대화를 하기가 어려우면, 하루나 이틀 동안 의식적인 호흡과 보행을 실천하자. 그런 다음에 차분하게 앉아서 사랑의 편지를 쓰자. 연애편지를 쓸 때와 똑같은 말로 아들에게 편지를 쓰는 것이다. "사랑하는 아들에게, 나는 네가 말못할 고통을 당해왔다는 걸 잘 안단다. 아버지로서 나는 책임을 느끼지 않을 수 없구나. 너에게 내 마음을 제대로 전하지 못했던 게 참으로 미안하구나. 네가 너의 고통을 나한테 제대로 전달하지 못하는 심정이 어떠했을지 나는 잘 안다. 이제는 모든 걸 바꾸고 싶구나. 이제부터라도 우리가 서로 도와서 마음의 문을 열어보자." 우리는 이렇게 말하는 자세를 배우고 익혀야 한다.

사랑의 말이 우리를 구해줄 것이다. 연민의 정으로 귀를 기울이는 것이 우리를 구해줄 것이다. 그것은 우리가 실현할 수 있는 기적이다. 우리에겐 그럴 능력이 충분히 있다.

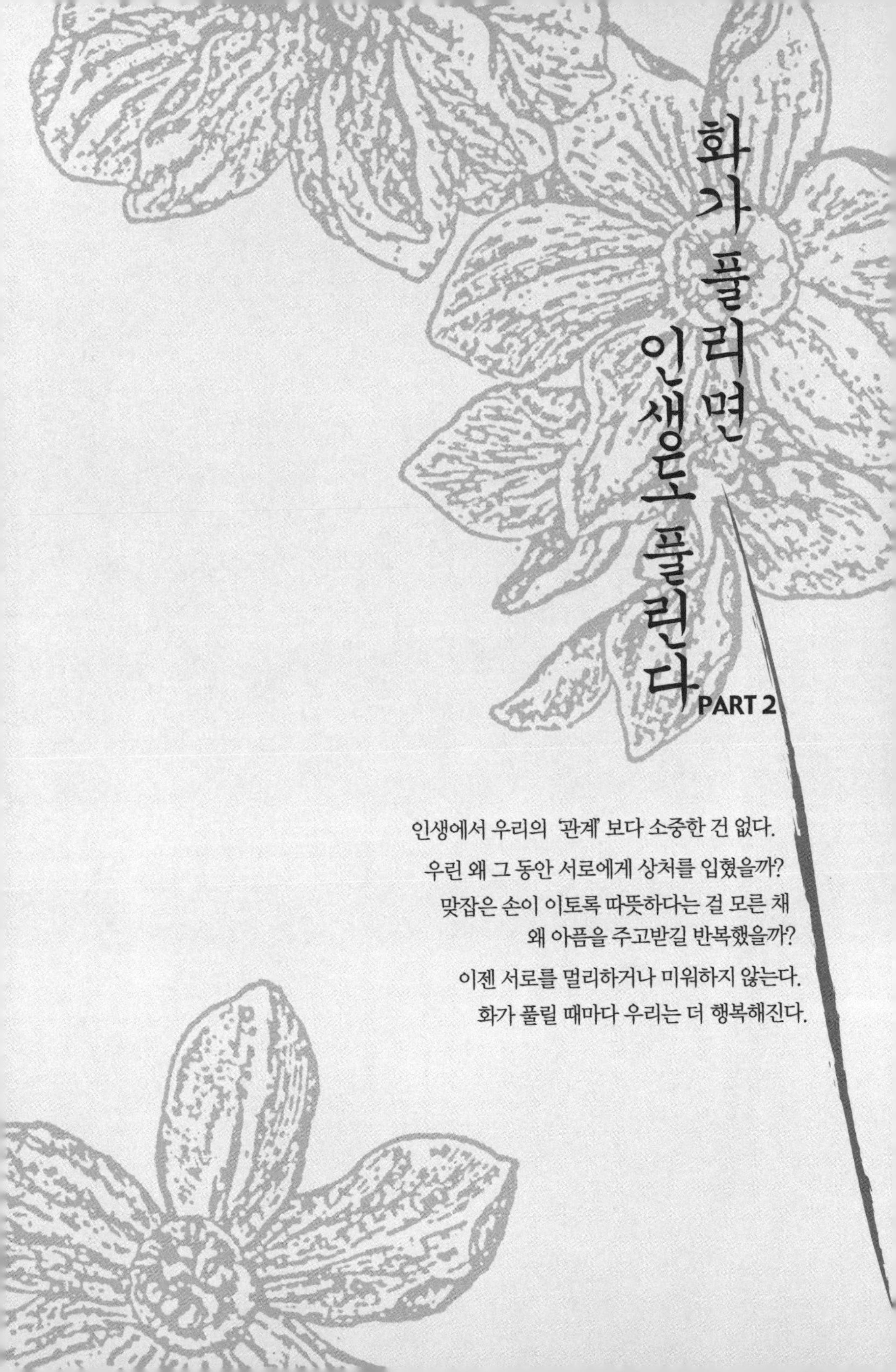

화가 풀리면 인생도 풀린다

PART 2

인생에서 우리의 '관계' 보다 소중한 건 없다.
우린 왜 그 동안 서로에게 상처를 입혔을까?
맞잡은 손이 이토록 따뜻하다는 걸 모른 채
왜 아픔을 주고받길 반복했을까?
이젠 서로를 멀리하거나 미워하지 않는다.
화가 풀릴 때마다 우리는 더 행복해진다.

anger___ 25

'고맙다' 는 말을 아껴라

살아가면서 우리는 타인에게 지극한 고마움을 느끼는 때가 더러 있다. 어떤 사람이 나에게 있다는 사실이 그리도 고마울 수가 없다. 우리는 누구나 그 같은 경험을 한다. 그 사람이 지금 살아 있고, 나의 곁에 있으며, 어려울 때마다 나에게 힘이 되어주었다는 사실에 대해서 깊은 감사를 느낀다. 이제부터는 그러한 경험을 하게 되면 반드시 그 경험을 이용할 것을 나는 권하고자 한다.

그러한 때를 진짜로 이용하기 위해서 우리는 혼자 떨어져서 조용히 생각에 잠겨야 한다. 당장 그 사람에게 가서 "당신이 내게 있어주어서 감사하다"라고 말하지 말자. 바로 그 순간, 혼자서 조용한 곳으로 가서 감사의 마음에 깊이 잠기자. 그리고 그 심정을 글로 적는다. 자신의 심정을 가장 솔직하게 글로 표현하는 것이다.

지극한 고마움을 느끼는 때가 바로 우리가 깨달음과 자각과 지혜를 얻는 순간이다. 그 순간 우리 의식의 깊은 곳에서 그러한 것들이 발현된다. 그러나 화가 났을 때는 그 감사와 사랑의 마음이 전혀 우리 안에 존재하지 않았던 것처럼 느껴진다. 그러므로 우리는 그러한 마음을 글로 적어서 잘 지니고 있다가 이따금씩 그것을 꺼내서 다시 읽어야 한다.

〈반야심경〉은 불교신자들이 날마다 읊는 경전으로서, 지혜에 관한 부처의 가르침을 기록한 것이다. 우리가 감사와 사랑의 마음을 기록한 것은 말하자면 우리 자신의 반야심경이다. 그것은 바로 우리의 마음을 기록한 것이기 때문이다. 관세음보살이나 부처의 마음이 아니라, 우리 자신의 마음을 기록한 것이 바로 우리의 반야심경이다.

⁂

우리는 상자 속에 보관해두었던 옛 연애편지에 의해 구원을 받았던 한 여자의 이야기에서 배울 것이 있다. 그러한 편지를 진심 어린 마음으로 읽을 때 우리는 누구나 구원받을 수 있다. 그 구원은 외부에서 온 것이 아니라 나 자신에게서 나온 것이다. 우리는 누구나 남을 사랑할 수 있다. 누구나 타인의 존재를 감사히 여길 능력을 갖고 있다. 이것은 축복이다. 배우자를 만난 것, 사랑하는 사람을 만난 것이 우리 인생의 행운이었음을 우리는 누구나 안다. 그런데 어찌 그 진실을 헛되이 날려버릴 것인가? 그 진실은 우리의 마음속에 있다. 그러므로 우리는 날마다 우리 마음의 반야심경을 읊어야 한다. 우리는 그 진실을 똑바로 쳐다보아야 한다. 사랑과 감사의 마음을 느낄 때마다 우리는 그 사람이 나에게 있다는 사실을 다시 한 번 감사히 여기게 되고, 마음속 깊이 간직한다.

그 사람의 존재를 진정으로 음미하기 위해서는 혼자 떨어져 있어야 한다. 늘 같이 있으면 그의 존재를 당연한 것으로 여기게 되고, 그의 아름다움과 선함을 충분히 음미할 수 없게 될지도 모른다. 이따금씩 사나흘 정도 떨어져 있어보자. 시간을 내서 따로 떨어져 있으면 그의 존재에 대해 더 큰 고마움을 느낄 수 있다. 멀리 떨어져 있지만 함께 있을 때보다 훨씬 더 그의 존재가 확실하게 느껴질 것이며, 그가 나에게 얼마나 중요하고 얼마나 소중한 사람인지를 다시 한 번 확인할 수 있을 것이다.

그러므로 자신의 반야심경을 써서 잘 간직하고, 자주 그 경전을 읊어보자. 화에 마음을 빼앗겼을 때는 그것이 놀라운 힘을 발휘할 것이다. 그 경전을 꺼내들고, 깊게 호흡을 하고, 그리고 읽는다. 그러면 이내 우리 자신에게로 되돌아갈 수 있을 것이고, 고통이 훨씬 줄어들 것이다. 무엇을 해야 할 것인지, 어떻게 반응해야 할 것인지를 알 수 있을 것이다. 문제는 그 일을 실천하는 것이다. 그 일을 실천하기 위한 조건은 스스로 만들어야 한다.

anger—26

화를 선물로 돌려줘라

우리는 아직도 화와 고통의 강변에 서 있다. 왜 빨리 그 강변에서 벗어나 평화와 자유가 있는 피안으로 건너가지 않는가? 왜 화의 고통 속에서 몇 시간을 보내고, 하루 저녁을 보내고, 심지어 며칠을 보내는가? 우리를 피안으로 데려다 줄 배는 늘 한자리에 있다. 의식적으로 호흡을 하며 자신에게 되돌아가고, 그리하여 자신의 화와 고통과 좌절을 깊이 들여다보고 미소를 짓게 하는 것이 바로 그 배다. 그것을 실천하면 우리는 이내 고통에서 벗어나 피안으로 건너갈 수 있다.

화의 강변에 오래 머물러서 마음을 태울 것인가? 스스로 자신의 마음을 그곳에 묶어두어 고통을 줄 것인가? 화도 우리 마음속의 일이고, 화에서 벗어나는 것도 우리 마음속의 일이다. 화의 강변을 떠나 화가 없는 피안으로 건너가기만 하면 된다. 그곳은 시원하고 쾌적하다.

화가 나를 지배하고 있도록 내버려두어서는 안 된다. 화에서 빨리 나를 해방시켜야 한다. 어서 배를 타고 강을 건너야 한다.

지금 이 순간에도 우리 중 몇몇 사람은 혼란과 화와 의심의 강변에 서 있을 것이다. 거기에 오래 머물러서는 안 된다. 빨리 강을 건너야 한다. 보행과 호흡을 자각하고, 자신을 깊이 들여다보고, 마음의 경전을 외우면, 이내 강을 건널 수 있다. 불과 몇 분 만에도 건널 수 있다. 우리에게는 행복을 누릴 권리가 있다. 우리 자신을 사랑할 권리가 있다. 깨달음의 씨앗이 우리 안에 있으며, 그 씨앗을 지금 당장 꽃으로 피어나게 할 수 있다.

❋

누군가에게 몹시 화가 나서 그 감정을 처리하려고 온갖 애를 써보지만, 소용이 없는 경우가 있다. 그럴 때는 바로 그 사람에게 선물을 주라고 부처가 권했다. 어리석은 말로 들릴지도 모르겠지만, 그러나 이것은 매우 효과적인 방법이다. 누군가에게 화가 났을 때는 그에게 상처를 주고 싶은 것이 인지상정이다. 그러나 도리어 그에게 선물을 주면 그에 대한 미움이 가라앉고 화가 풀리며 마음이 너그러워진다. 오히려 그가 행복해지길 바라게 되는 것이다. 그러므로 누군가에게 화가 났을 때는 그에게 선물을 주자. 선물을 보내고 나면 그 사람 때문에 생겼던 화가 사그라들 것이다. 이것은 매우 간단한 방법이면서 큰 효과를 불러온다.

화가 났을 때 선물을 사러 가기는 어려울 것이다. 그 사람을 사랑하고 감사함을 느낄 때 그에게 줄 선물을 사두자. 선물을 여러 개 준비해두었다가, 그 사람 때문에 화가 났을 때 하나씩 보내는 것이다. 이것은 생각보다 훨씬 효과적인 방법이다.

anger—27

화를 내뱉는 것은 에너지 낭비다

화가 났을 때 우리는 그 고통을 얼른 씻고 싶어진다. 이것은 누구나 마찬가지다. 그러나 위안을 얻는 방법은 여러 가지가 있겠지만 가장 커다란 위안은 이해에서 나온다. 이해를 하고 나면 고통은 저절로 사라진다. 타인의 처지를 이해하고 자신의 고통의 실체를 이해하면, 화는 사라질 수밖에 없다. 화가 연민의 정으로 바뀌기 때문이다.

타인의 마음을 깊이 들여다보는 것이 자신의 화를 치유하기 위한 최고의 약이다. 그러면 그의 어려움을 이해할 수 있고, 그의 마음속에 있지만 그 자신은 깨닫지 못했던 그의 가장 깊은 소망이 무엇인지를 알 수 있다. 그러면 연민이 나의 마음속에 생기고, 연민은 화를 치료하는 약이 된다. 연민을 나의 마음속에서 솟아나게 하면 화라는 불은 이내 꺼져버린다.

우리의 고통은 대부분 이 세상에 별개로 존재하는 사람은 없다는 사실을 깨닫지 못하는 데서 빚어진다. 타인이 나이고 내가 타인이다. 그 진리를 깨달을 때 화는 사라진다.

연민은 이해심이 피워내는 아름다운 꽃이다. 그러므로 누군가에게 화가 났을 때는 의식적으로 호흡을 하자. 그리고 그 상황을 깊이 들여다보면 자신과 타인의 고통의 실체가 보일 것이고, 이내 그 고통으로부터 벗어날 수 있다.

*

화가 나면 그것을 발산해버리라고 권고하는 치료사들이 있다. 그들은 가령 몽둥이로 타이어를 때리거나 폐차를 망치로 있는 힘껏 두드리는 등, 화를 배설해버리라고 권한다. 또 베개를 주먹으로 치라고도 권한다. 그들은 그 같은 행동을 '분출'이라고 부르며, 화의 에너지를 제거하기 위한 비결이라고 믿는다.

방 안에서 담배를 피우는 사람은 연기가 빠져나가도록 문을 열어둔다. 화는 담배연기 같은 것이고, 우리를 고통스럽게 하는 에너지다. 담배연기가 방 안을 가득 메우면 우리는 방문을 열거나 환기구를 돌려 연기가 밖으로 나가게 한다. 그것과 마찬가지로, 우리의 마음속에서 일어난 화도 몽둥이로 타이어를 치고 망치로 폐차를 치고 주먹으로 베개를 치면 발산될 수 있다는 것이다. 실제로 그렇게 행동하는 사람들은 우리 주위에 많이 있다. 그들은 그러한 행동에서 일시적인 위안을 얻는다. 그러나 그 같은 행동은 매우 해로운 부작용을 낳으며, 더 큰 고통을 불러올 수도 있다.

화는 스스로 에너지를 갖고 있다. 화를 발산해버리기 위해서 30분이나 한 시간 동안 있는 힘을 다해서 무엇을 치고 나면 우리는 그만 지쳐버리게 된다. 그러면 화를 지탱할 에너지도 사라져버린다. 그래서 이제는 화가 사라졌다고 느끼게 된다. 그러나 실은 그렇지가 않다. 단지 지쳐서 화를 낼 힘조차 없게 되었을 뿐이다.

우리의 마음속에서 화가 일어나는 것은 거기에 화의 뿌리들이 있기 때문이다. 화는 우리의 무지, 그릇된 판단, 이해와 연민의 결핍에 그 뿌리를 내리고 있다. 화를 그저 발산해버리는 것은 화의 에너지만이 밖으로 나갈 뿐이다. 그 뿌리는 여전히 우리 마음속에 남아 있다. 그리고 화를 그런 식으로 발산하면 그 뿌리는 더욱 튼튼해진다. 그것이 바로 화를 그저 분출해버리는 행동이 안고 있는 위험이다.

사회심리학자들의 연구에 따르면, 가령 망치로 폐차를 치거나 주먹으로 베개를 치는 등의 행위로 화와 호전성을 발산하는 것은 전혀 도움이 되지 않고, 오히려 사태를 악화시킬 따름이라고 한다.

그런 행위를 할 때는 누구도 냉정할 수가 없을 것이고, 그러므로 화가 줄어들지도 않을 것이다. 그것은 오히려 화를 연습하는 행동이 될 수도 있다. 날마다 그런 행동을 하면, 마음속에 들어 있는 화의 씨앗도 날마다 자랄 것이다. 그리고 어느 날, 누군가가 그를 화나게 하면 그는 그 동안 연습했던 화를 실행할 것이다. 그것은 그가 화의 에너지만을 발산했을 뿐, 근본 원인을 처리하지 못했기 때문이다.

화를 그저 발산해버리는 것은 무지의 소산일 뿐이고, 폐차나 베개를 나를 화나게 한 장본인이라고 상상하면서 치는 것은 그 무지와 화를 예행연습하는 행동일 뿐이다. 호전성과 화가 줄어들기는커녕 더욱 호전적이 되고 성마르게 될 것이다.

화를 그렇게 발산하는 것은 매우 위험하다는 데 수많은 정신치료사들이 의견을 같이 하고 있다. 환자들은 폐차나 베개를 실컷 두들기고 나면 힘이 빠지고, 그러면 기분이 한결 나아졌다고 생각한다. 그러나 휴식을 취하고 배 부르게 먹고 났을 때 누군가가 화의 씨앗에 물을 뿌리면 이전보다 훨씬 더 사나워지더라는 것이다. 화를 예행연습함으로써 그 뿌리가 그새 더 튼튼해졌기 때문이다.

❋

화가 일어나면 우리는 그것을 맞이해주어야 한다. 화가 마음속에 있음을 인정하고 잘 보살펴주어야 한다. 심리치료에서는 이것을 '화와 접촉하기' 라고 부른다. 화를 억눌러서는 안 되고 그것의 존재를 인정하고 끌어안아야 한다는 것, 그것은 참으로 중요하고도 놀라운 일이다.

그런데 정작 중요한 것은 화의 존재를 인정해서 그것을 접촉하고 보살피는 일을 대체 누가 맡을 것인가 하는 문제다. 화는 하나의 에너지다. 그 에너지가 너무 거셀 때 우리는 그 힘을 감당할 수가 없다. 그러므로 그것을 감당할 또 다른 에너지를 만들어야 한다. 그 또 다른 에너지는 바로 자각에서 나온다. 그러므로 화가 일어났을 때 우리는 호흡과 보행을 자각함으로써 자각의 씨앗이 마음속에서 싹을 틔워서 에너지를 생성하게 해주어야 한다.

자각은 화를 억압하기 위한 것이 아니다. 자각은 화의 실체를 인정해서 그것을 맞이하기 위한 것이다. 자각은 우리에게서 지금 이 순간에 일어나고 있는 일을 늘 깨닫는 것이다. 우리는 호흡을 자각할 수 있고, 차를 마시는 것을 자각할 수 있고, 보행을 자각할 수 있다. 화도 마찬가지다. 마음속에서 화가 일어났을 때, 우리는 그 사실을 자각할 수 있다. "난 내가 지금 화가 났다는 걸 알아. 내 마음속에 지금 화가 들끓고 있다는 걸 알아." 화를 자각한다는 것은 그것의 실체를 인정하고 맞이하고 접촉하고 끌어안는 것이다. 맞서 싸우거나 억누르는 게 아니다. 자각은 말하자면 우는 아기를 품에 안아서 달래는 어머니와도 같은 것이다. 우리 마음속의 화는 우리의 아기다. 우리가 보살펴야 할 자식이다. 자각이 있을 때 우리는 안전할 수 있고, 미소지을 수 있다. 부처의 에너지가 우리 마음속에서 일어나고 있기 때문이다.

화를 처리하는 방법을 모르면 화 때문에 죽을 수도 있다. 자각이 없으면 우리는 우리 자신의 화에 의해서 희생될 수 있다. 화는 우리를 피를 토하고 죽게 할 수 있다. 화를 이기지 못해서 죽는 사람들이 허다하다. 화가 신체의 시스템에 엄청난 충격을 주고, 거대한 중압과 고통을 일으키기 때문이다. 그러나 부처가 우리 안에 있을 때, 자각의 에너지가 있을 때, 우리는 안전하다. 우리가 어떠한 상태에 있든지 자각은 우리를 보호해준다. 큰형이 함께 있으면 어린 동생은 안전하다. 어머니의 품에서 아기는 안전하다. 수련을 거듭하면, 우리 마음속의 어머니와 큰형은 언제 어디서나 우리를 화로부터 안전하게 지켜준다.

화의 실체를 파악해서 그것을 끌어안고 있는 동안에 우리는 지속적으로 자각의 에너지가 생성되게끔 해야 한다. 그러기 위해서는 의식적인 호흡과 보행을 지속적으로 실천해야 한다. 자각이 없으면 그 무엇으로도 우리는 위안을 얻을 수 없다. 베개를 아무리 주먹으로 쳐도 소용없다. 베개를 주먹으로 아무리 쳐봤자 화가 없어지지 않고, 화의 실체를 더욱 보지 못하게 될 따름이다. 아니, 베개의 실체조차도 보지 못하게 된다. 베개의 실체가 눈에 보이면, 그것이 단지 베개일 뿐 적이 아니란 것을 모를 리가 없다. 베개를 주먹으로 칠 이유가 도대체 무엇인가? 그것은 단지 지금 내리치고 있는 것이 베개일 뿐임을 모르기 때문이다.

우리가 사물의 실체를 알기 위해서는 그 사물과 진정으로 접촉을 해야 한다. 어떤 사람과 진정으로 접촉해보지 않고서는 그가 어떤 사람인지 진정으로 알 수가 없다. 자각이 없으면 우리는 그 어떤 사물이나 사람과 진정으로 접촉을 할 수 없다. 자각이 없으면 화의 실체를 알 수 없고, 그리하여 화에게 잡아먹히고 마는 지경이 될 수 있다.

anger—— 28

화해는 곧 자신과의 조우다

나는 곧 타인이다. 아들 때문에 화가 난 사람은 자신에게 화를 내는 것이다. 아들이 곧 내가 아니라고 생각하는 것은 틀린 생각이다. 아들이 곧 나다. 유전적으로 생리적으로 과학적으로, 아들은 나의 연속이다. 이것은 진리다. 어머니는 누구인가? 우리의 어머니는 곧 우리 자신이다. 우리는 후손으로서 어머니의 연속이고, 어머니는 조상으로서 우리의 연속이다. 어머니는 조상들과 우리를 이어주고, 우리는 어머니를 후손들과 이어준다. 어머니와 나는 같은 물줄기에 속해 있다. 어머니를 나와는 전혀 별개의 존재라고 생각하는 것, 이제부터는 어머니와 아무 상관 없이 내가 존재할 수 있다고 생각하는 것은 무지의 소산일 뿐이다.

자식을 잉태한 어머니는 이것을 통찰한다. 자식이 몸 안에 있기 때문이다. 자식을 위해서 먹고 자식을 위해서 마시고, 늘 자식을 보살핀다. 자신을 보살피는 것이 곧 자식을 보살피는 것이다. 자식이 몸 안에 있다는 사실을 알기 때문에 어머니는 매사를 조심한다. 그러나 자식이 태어나고 자라서 열두어 살이 되면 그 통찰을 잃어가기 시작한다. 자식과 별개인 것 같은 기분이 들고, 관계가 멀어진다. 관계를 개선할 방법을 알 수가 없고, 싸운 뒤에는 좀체 화해하지 못한다. 그리고 오래지 않아서 그 간극이 커지고 견고해진다. 관계가 아주 험해지고, 갈등이 깊어진다.

*

분노는 두 사람을 완전히 별개의 존재인 것같이 만든다. 그러나 깊이 들여다보면 두 사람은 아직도 하나라는 사실을 알 수 있다. 그러므로 둘이 화해를 하고 평화를 되찾는 것은 각자가 자신과 화해하고 평화를 되찾는 일이나 마찬가지다.

어머니가 아들에게 화가 났을 때는 곧 자신에게 화가 난 것이다. 아들에게 벌을 주는 것은 자신에게 벌을 주는 것이다. 자식이 아버지에게 고통을 안겨준다면 곧 그 자신을 고통스럽게 하는 것이다. 우리는 어느 누구도 이 세상에 홀로 존재하지 않는다는 것을 통찰할 때 그 사실을 제대로 이해할 수 있다.

우리가 이 세상에 홀로 존재하는 게 아니란 것을 통찰하면 우리의 행복과 고통도 우리 개인만의 문제가 아니라는 걸 알게 된다. 나의 고통이 곧 내가 사랑하는 사람들의 고통이다. 그들의 행복이 나의 행복이다. 그것을 통찰하면 우리는 남을 비난하거나 응징하려는 심정의 유혹을 떨칠 수 있다. 그리고 훨씬 더 지혜롭게 행동할 것이다. 그 지혜는 깊은 사고가 맺어준 결실이다. 그러므로 우리 마음의 경전을 읽을 때, 우리는 우리의 자식이나 배우자가 곧 우리 자신이라고 하는 그 깨달음을 거듭 상기하게 된다.

경전을 읽을 때 우리는 이 세상이 우리가 홀로 존재하지 않는다고 하는 그 진리에 흠뻑 젖는다. 우리가 직접 쓴 우리 마음의 경전은 나와 남이 하나라는 사실을 통찰한 데서 나오는 것이다. 〈반야심경〉은 지혜에 관한 글이다. 우리 마음의 경전도 마찬가지다. 그것은 우리가 홀로 존재하는 생명이 아니라는 깨달음을 상기해준다. 그것은 우리에게 사랑의 지혜를 상기해준다. 화가 났을 때, 우리가 홀로 존재하는 생명이라는 그릇된 믿음에 빠졌을 때, 우리 마음의 그 경전을 읽으면 우리는 곧 자신에게로 되돌아갈 수 있다. 그 통찰이 우리 안에 있으면 부처가 우리 안에 있는 것이고, 그러면 우리는 안전하다. 그럴 때 우리는 더이상 고통을 당하지 않는다.

화에서 벗어나는 길은 여러 가지가 있지만, 내가 이 세상에 홀로 존재하는 생명이 아니라는 것을 이해하고 통찰하는 것이 가장 깊은 위안을 얻기 위한 최선의 길임을 우리는 늘 기억해야 한다. 내가 이 세상에 홀로 존재하지 않다는 것은 추상적인 철학이 아니다. 그것은 스스로를 늘 자각하면서 살 때 누구나가 실감할 수 있는 현실이다. 그 통찰이 나와 타인들 사이에 평화와 조화를 되찾아준다. 우리는 누구나 평화와 행복을 누릴 자격이 있다. 우리가 타인들과 함께 살아갈 방도를 모색해야 하는 이유가 바로 그것이다.

나아가서 우리는 우리 자신에게 평화와 조화를 안겨줄 방도를 모색해야 한다. 자신과 평화조약을 맺어야 한다. 우리의 내부에서 일어나는 전쟁과 갈등 때문에 삶이 와해되는 경우가 너무도 많기 때문이다. 지혜가 없고 통찰이 없을 때 우리는 스스로와 전쟁을 한다. 이해가 있을 때 우리는 우리 자신과의 평화와 조화를 복구할 수 있고, 타인들과의 관계도 원활히 할 수 있다. 나의 안에 평화와 조화가 있으면 남들이 그것을 알아본다. 그리하여 그들과의 사이에서도 평화와 조화가 이내 회복될 수 있다. 내가 남에게 즐거운 사람이 되고, 상대하기가 편한 사람이 되고, 따라서 남들에게 커다란 도움을 줄 수 있게 된다.

그러므로 남을 도우려면 먼저 자신과의 평화를 이루어야 한다. 자신을 돕는 것이 곧 남을 돕기 위한 최우선 조건이다. 자아라고 하는 환상은 어서 버려야 한다. 이것이 바로 우리가 화에서 벗어나 자신을 자유롭게 하고, 타인들까지도 자유롭게 해주기 위한 수련의 요체다.

anger —— 29

나를 사랑하지 못하면 남을 사랑할 수 없다

대화가 없이는 진정한 이해도 없다. 진정한 이해를 위해 우리는 먼저 자신과의 대화를 열어야 한다. 자신과 대화를 할 수 없다면 어떻게 타인과의 대화를 기대할 수 있겠는가? 사랑도 마찬가지다. 자신을 사랑하지 않으면 남을 사랑할 수 없다. 자신을 받아들이지 못하는 사람, 스스로를 친절하게 대하지 못하는 사람은 다른 사람에게도 마찬가지로 행동을 한다.

흔히 우리는 우리의 아버지와 똑같은 행동을 하면서도 스스로 그 사실을 깨닫지 못한다. 또 아버지와 똑같은 행동을 하면서도 자기는 아버지와는 완전히 다른 사람이라고 생각한다. 그래서 아버지를 받아들이지 못하고 증오한다. 아버지를 받아들이지 못한다는 것은 곧 자신을 받아들이지 못하는 것이다. 아버지가 나의 안에 있기 때문이다. 나는 아버지의 연속이다. 그러므로 내가 나 자신과 대화를 할 수 없으면 아버지와도 대화를 할 수 없다.

우리는 우리가 아닌 요소들로 이루어져 있다. 그러므로 우리 자신을 이해하는 것이 하나의 수련이 된다. 우리의 아버지도 나를 구성하는 한 요소다. 우리는 아버지와 내가 별개라고 말하지만, 그러나 아버지가 없으면 우리도 존재하지 못한다. 그러므로 아버지의 모든 것이 나의 몸과 마음속에 들어 있다. 아버지가 곧 나다. 따라서 우리가 스스로를 충분히 이해하면, 내가 곧 나의 아버지라는 것과 아버지는 나의 바깥에 있지 않다는 사실을 이해하게 된다.

우리의 몸 안에는 우리가 아닌 요소들이 매우 많다. 조상들, 지구, 태양, 물, 공기, 우리가 먹는 음식 등, 그 모든 것이 다 우리가 아닌 것들이다. 그러한 것들이 우리와는 별개의 것처럼 여겨질 수도 있겠지만, 그러나 그러한 것들이 없이는 우리가 존재할 수 없다.

서로 싸우는 두 정당이 협상을 하려는데, 쌍방이 모두 자신에 대해서 충분히 알지 못한다고 가정해보자. 그들은 먼저 자신의 정당과 자신의 국가와 자신의 국민의 처지를 이해해야만 상대방의 정당과 국가와 국민의 처지를 이해할 수 있을 것이고, 그런 다음에야 협상에 이를 수 있을 것이다. 나와 남은 별개의 존재가 아니다. 쌍방의 고통과 희망과 분노가 거의 똑같은 것이기 때문이다.

화가 났을 때 우리는 고통을 받는다. 그것을 진정으로 이해하면 우리는 타인이 화가 났을 때 그 사람도 역시 고통을 받는다는 사실을 이해할 수 있다. 어떤 사람이 나를 모욕하거나 나에게 거친 행동을 하면, 우리는 그가 그 행위에 의해서 고통을 받는다는 사실을 충분히 이해하는 이지력을 가져야 한다. 그러나 우리는 그것을 망각하기가 더 쉽다. 그럴 경우에 우리는 우리만이 고통을 당할 뿐이고, 그 사람은 단지 공격자일 뿐이라고 생각한다. 그러면 우리도 화가 나게 되고, 그 사람을 응징하고자 하는 욕구가 강하게 일어난다. 우리도 그 사람과 다름없이 마음속에 화를 갖게 되고, 폭력을 갖게 된다. 우리의 고통과 화가 그 사람의 고통이나 화와 다르지 않은 것임을 깨달을 때 우리는 한층 더 동정적인 자세를 가질 수 있다. 그러므로 남을 이해하는 것은 곧 자신을 이해하는 것이고, 자신을 이해하는 것이 곧 남을 이해하는 것이 된다.

스스로를 이해하기 위해서 우리는 나와 남이 별개의 존재가 아니라는 사실을 깨달아야 한다. 우리는 화와 맞서 싸워서는 안 된다. 화가 바로 나 자신이고, 내 일부이기 때문이다. 화는 사랑과 마찬가지로 유기적인 성격을 가진 감정이다. 우리는 화를 잘 보살펴야 한다. 그리고 화는 생물처럼 유기적인 현상이기 때문에 또 다른 유기적인 생명체로 변화할 수도 있다. 쓰레기가 비료가 되고 상추나 오이가 되는 것과 마찬가지다. 그러므로 자신의 화를 경멸해선 안 된다.

anger ___ 30

이해와 연민은 나약하고 비겁한 감정이 아니다

이해와 연민은 우리에게서 매우 강력한 에너지를 생성시킨다. 이해와 연민은 각각 우매와 냉정의 반대어다. 이해와 연민을 수동적이고 나약하고 비겁한 감정이라고 생각한다면 그것은 이해와 연민이란 것이 진정으로 무엇인지를 모르는 소치일 뿐이다. 연민의 정을 가진 사람은 불의를 보고도 저항하지 않고 항거하지 않는다고 생각한다면 그것은 오산이다. 그들은 수많은 승리를 거둔 전사들이고 영웅들이다. 연민과 비폭력으로 행동할 때, 나와 남이 별개의 존재가 아니라는 깨달음을 바탕으로 행동할 때, 우리는 매우 강한 힘을 발휘할 수 있다. 그럴 때 우리는 화로 비롯된 행동을 하지 않을 수 있고, 그리하여 남을 비난하거나 응징하지 않을 수 있다. 연민은 우리의 마음속에서 지속적으로 커져가는 감정이고, 그러므로 불의에 맞서 싸울 때는 엄청난 힘을 발휘한다. 마하트마 간디가 바로 그러한

분이었다. 그분은 폭탄이나 총을 가진 적이 없었고 정당을 가진 적도 없었다. 그분은 단지 나와 남이 별개의 존재가 아니라는 통찰과 강한 연민을 바탕으로 행동했을 뿐, 결코 화로 비롯된 행동을 하지 않았다.

인간은 우리의 적이 아니다. 우리의 적은 타인들이 아니다. 우리의 적은 우리와 타인들의 마음속에 들어 있는 폭력과 무지와 불의다. 연민과 이해로 무장하고 있을 때 우리는 타인들과 싸우지 않고, 다만 남을 침략하고 지배하고 착취하고자 하는 인간들의 속성과 맞서 싸울 수 있다. 우리는 타인들을 죽이고자 원하지 않고, 다만 어떤 인간들이 다른 인간들을 지배하고 착취하는 것을 허락하지 않으려 할 뿐이다. 우리는 우리 자신을 보호해야 한다. 우리는 어리석지 않다. 우리는 매우 이지적이고, 통찰력을 갖고 있다. 연민의 정을 가지면 타인들이 그들 자신과 우리에게 폭력을 행사하는 것을 허락하지 않게 된다. 연민의 정을 갖는다는 것은 우리가 이지적인 인간이 된다는 의미다. 사랑에서 비롯되는 비폭력적인 행동만이 이지적인 행동이 될 수 있다.

연민의 정을 갖는다는 것은 불필요한 고통을 피하게 하고 상식을 망각하지 않게 하는 것이다. 가령 우리가 보행 명상을 하는 한 집단을 인솔하고 있다고 가정해보자. 그들은 천천히 느긋하게 걷는다. 보행 명상은 강한 에너지를 생성시키는 수련이다. 그것은 우리를 고요와 견고와 평화로 감싸안는다. 그런데 갑자기 비가 내린다고 치자. 인솔자는 그들을 계속 천천히 걷게 해서 온몸이 흠뻑 젖게 할 것인가?

그건 이지적인 행동이 아니다. 훌륭한 보행 명상 인솔자라면 당장 보행을 조깅으로 바꿀 것이다. 그러면서도 보행 명상의 기쁨이 그대로 유지되게 할 것이다. 사람들을 비에 흠뻑 젖지 않게 하고서도 얼마든지 수련의 성과를 거둘 수 있을 것이다. 우리는 이지적인 방식으로 수련을 해야 한다. 명상은 수동적인 행동이 아니다. 명상은 단지 남들이 하는 대로 불문곡직 따라가는 것이 아니다. 명상을 하기 위해서는 적절한 기술을 가져야 하고, 자신의 이지력을 충분히 이용해야 한다.

❋

남을 친절하게 대한다는 것은 수동적으로 행동한다는 의미가 아니다. 바꾸어 말하면, 연민의 정을 갖는다는 것은 타인들이 나를 짓밟거나 나를 파괴하는 행위를 그대로 내버려둔다는 의미가 아니다. 우리는 스스로 자신을 보호하는 한편, 타인을 보호해야 한다. 위험한 사람을 격리시킬 필요가 있을 때는 당연히 그렇게 행동해야 한다. 그러나 항상 연민의 정을 잊지 말아야 한다. 그 사람이 계속 파괴적인 행동을 하며 자신의 화를 키워가는 것을 막아주려는 동기를 가지고 그를 격리시키도록 해야 한다.

연민의 정을 갖기 위해서는 비단 승려가 되어야 하는 것은 아니다. 경찰관도 그 감정을 가질 수 있다. 판사나 교도관도 마찬가지다. 그러나 경찰관이나 판사나 교도관은 관세음보살이 되어야 한다. 그들은 위대한 연민의 정을 품은 사람들이어야 한다. 그들은 매우 단호한 태도를 보여야 하지만, 한편으로는 또 늘 연민의 정이 마음속에 살아 있게 해야 하는 사람들이다.

의식적인 삶을 실천하면 우리는 연민의 정으로 경찰관들을 도울 수 있다. 오늘날의 경찰관들은 공포와 분노와 긴장으로 가득찬 삶을 산다. 공격을 당하는 경우가 너무도 잦기 때문이다. 경찰관을 증오하고 모독하는 사람들은 경찰관의 직무를 제대로 이해하지 못하는 사람들이다. 아침에 제복을 차려입고 권총을 허리에 찰 때, 경찰관들은 그날 저녁 무사히 집으로 돌아올 수 있을지 자신하지 못한다. 그들은 엄청난 고난 속에서 일을 한다. 그들의 가족 또한 엄청난 고통을 당한다. 경찰관들은 사람을 구타하는 행위를 즐기는 게 아니다. 즐거운 기분으로 총을 쏘는 게 아니다. 단지 그들은 마음속에 있는 공포와 고통과 폭력의 장벽을 처리할 방법을 모르기 때문에, 여느 사람들과 다름없이 그들도 사회의 희생자가 될 가능성을 안고 있을 뿐이다. 그러므로 경찰의 책임자는, 그 휘하에 있는 경찰관들의 심정을 진정으로 이해한다면, 늘 마음속에 연민과 이해가 살아 있도록 자신을 다독여야 할 것이다. 그러면 아침 저녁마다 거리로 나가서 도시의 평화를 힘들게 지키고 있는 여러 경찰관들을 돕는 방법을 모색할 수 있을 것이다.

프랑스에서는 경찰을 '평화 유지자' 라고 부른다. 그러나 시민들의 마음속에 평화가 없다면 그들이 지킬 평화란 게 도대체 어디에 존재하겠는가? 그러므로 우리는 먼저 우리 자신의 평화를 이루어야 한다. 여기서 평화란 공포로부터의 해방과 이지와 통찰을 의미한다. 경찰관들은 자신을 보호하기 위한 수많은 기술을 익혀야 하지만, 자기 방어만을 위한 기술로는 직무를 다할 수 없다. 그들은 자기 방어 기술을 익히는 한편, 이지력을 갖기 위해 노력해야 한다. 그들은 공포에서 비롯된 행동을 해서는 안 된다. 공포에 사로잡히면 실수를 저지르게 된다. 그러면 총을 사용하지 않을 수 없게 되고, 그리하여 무고한 사람을 해치게 될 수도 있다.

anger — 31

우리는 모두 가해자이자 피해자다

로스앤젤레스에서 경찰관 네 명이 흑인 운전자를 아주 심하게 구타한 사건이 있었다. 전세계의 언론이 그 사건을 보도했고, 모두가 어느 한쪽의 편을 들려고 했다. 피해자를 편드는 언론도 있었고 경찰을 두둔하는 언론도 있었다. 그런 식으로 판단을 내려서 어느 쪽을 편드는 것은 그 사건과는 전혀 무관한 것처럼 행동하는 결과가 된다. 그러나 깊이 생각해보면 우리는 누구나 그 구타 사건의 피해자이고, 한편으로 구타를 행한 경찰관이다. 분노와 두려움과 좌절과 폭력이 구타를 당한 사람이나 구타를 행한 사람 모두의 마음속에 있었던 것이다. 우리의 마음속에도 양자가 모두 들어 있다.

경찰관을 이해하고 그들이 고통을 당하지 않도록 돕기 위해서, 우리가 그들의 남편이나 아내라고 가정해보자. 그렇다면 우리는 배우자가 얼마나 고난한 삶을 살아가고 있는지 이해할 수 있다. 날마다 아침 저녁으로 우리는 배우자가 분노와 공포와 좌절을 극복할 수 있도록 무언가 도움을 주고 싶어질 것이다. 경찰관인 아내나 남편이 고통을 덜 받도록 우리가 도울 수 있다면, 그것은 곧 우리가 사는 도시에 이익이 될 것이다. 이것이 우리가 사는 사회를 돕는 최선의 길이다. 우리는 이지와 통찰과 연민을 가지고 사고가 발생하지 않도록 도울 수 있다.

❋

"주여, 저들을 용서하소서. 저들은 저희가 하는 일을 모르나이다."라고 예수는 기도했다. 어떤 사람이 범행을 저질러서 타인들에게 큰 고통을 안겨주는 것은 자신이 무슨 짓을 하고 있는지를 깨닫지 못했기 때문이다. 수많은 청소년들이 범죄를 저지르지만, 그들은 자신의 범행이 타인에게 얼마만큼 고통을 안겨주는지 알지도, 이해하지도 못한다. 폭행을 할 때마다 그들은 타인들뿐만이 아니라 자신에게도 고통을 주는 셈이다. 그들은 폭력을 휘둘러서 분노를 발산해버리면 고통이 줄어든다고 생각한다. 그러나 그들 마음속의 분노는 더욱 커져갈 따름이다.

적에게 폭탄을 떨어뜨릴 때 우리는 우리 자신에게도 폭탄을 떨어뜨리는 셈이다. 베트남 전쟁에서는 미국인들도 베트남 인들만큼이나 고통을 당했다. 전쟁의 상처는 베트남뿐만 아니라 미국에도 깊게 남았다. 폭력을 중단하는 것이 우리가 당연히 해야 할 일이다. 그러나 우리가 타인들에게 행하는 것은 곧 우리 자신에게 행하는 것임을 통찰하지 못하면 우리는 폭력을 멈출 수 없다. 교사들은 학생들에게, 타인에게 폭력을 쓰는 것은 곧 자신에게 폭행을 가하는 것이나 마찬가지임을 가르쳐야 한다. 그러나 교사들 자신이 그것을 깨닫고 실천하지 못하면 학생들에게 가르칠 수가 없다. 독선적인 태도로는 우리가 통찰한 것을 타인들에게 일깨워줄 수가 없다. 우리는 유연하고도 이지적인 태도와 재치 있는 수단으로, 우리가 통찰한 것을 타인에게 알려야 한다.

❋

우리는 대부분 전쟁이 터진 다음에야 그것을 종식시키기 위해 노력을 한다. 전쟁의 씨앗이 이미 도처에 있었으며, 우리 자신의 사고방식과 생활방식 속에도 잠재되어 있었다는 것을, 우리는 대체로 알지 못한다. 전쟁이 아직 감추어져 있던 때는 그러한 사실을 알아차리질 못했다. 전쟁이 터져서 온 세상 사람들이 그 전쟁에 대해서 얘기를 할 때야 비로소 관심을 기울인다. 그리고 전쟁의 참상에 몸서리친다. 그러나 무엇도 어찌할 수가 없다. 단지 어느 쪽이 옳고 어느 쪽은 그르다는 식으로 편을 들기만 한다. 누구나가 어느 한 쪽을 두둔하고 다른 쪽을 비난할 뿐, 그 전쟁으로 인한 파괴를 종식시키는 데는 아무런 기여도 하지 못한다.

참다운 수련자로서 우리는 전쟁이 터지기 전에 사태를 주시해야 하고, 전쟁이 터지는 것을 막기 위한 행동을 적극적으로 취해야 한다. 우리가 통찰과 깨달음을 갖고 있으면, 타인들도 똑같은 것을 통찰하고 깨닫도록 도움을 줄 수 있다. 그러면 수많은 사람들이 힘을 합쳐서 전쟁까지 치닫는 극한 사태를 사전에 예방할 수 있다.

나토 국가들은 베오그라드에 대한 폭격이 유고슬라비아 전역에서 일어나고 있는 인종 분쟁을 종식시킬 유일한 방안이라고 생각했다. 그들은 다른 방법은 없다고 생각했다. 전쟁이 일어나리란 것은 불을 보듯 뻔한 사실이었는데도, 그들은 그 씨앗을 보지 못했기 때문에 전쟁을 사전에 예방할 수가 없었다. 폭력은 결코 평화와 이해를 가져올 수 없다. 깊은 성찰로써 폭력의 뿌리를 제대로 이해할 때만 우리는 평화를 얻을 수 있다.

훌륭한 명상가라면 우리는 타인들보다 더 깊은 통찰에 이를 것이고, 그리하여 폭격과 같은 폭력 수단을 쓰지 않고서도 인종 분쟁을 저지할 더 나은 방법을 모색할 수 있었을 것이다. 지금도 이 지구상에는 도처에서 곧 전쟁이 터지려는 분위기가 조성되어 있다. 우리가 진정으로 평화를 원한다면 우리는 이 사실을 제대로 알고 있어야 하고, 최선을 다해서 전쟁을 방지하기 위한 행동을 취해야 한다. 그리고 코소보에서와 같은 폭력적 개입을 방지하기 위해서는 대안을 제시해야 한다. 좋은 아이디어가 있는 사람은 그것을 정치가들에게 전해서 더 적극적인 방식으로 문제를 해결할 수 있게 해주어야 한다. 우리는 개인으로서뿐만이 아니라 한 사람의 국민으로서도 수련을 하고 명상을 해서 전쟁과 폭력을 방지하는 데 기여해야 한다.

anger—— 32

화해를 위해서는 지혜가 필요하다

채식주의자인 젊은이가 있었다. 그는 괴짜거나 입맛이 아주 특이해서가 아니라 나름의 자각에서 채식주의자가 되었다. 그가 고기를 먹지 않는 까닭은 먹고 싶은 생각이 전혀 들지 않았기 때문이다. 그의 아버지는 그걸 몹시 못마땅해했다. 그래서 아들과 아버지 사이가 원만하지 못했다. 젊은이는 채식주의를 그만두고 싶지 않았다. 고기를 먹는다는 게 그에게는 너무도 끔찍스러운 일이었기 때문이다. 아버지의 마음을 흡족하게 해주기 위해서 고기를 억지로 먹을 생각은 전혀 없었지만, 그러나 아버지와의 긴장이 지속되는 것도 원하지 않았다. 그래서 그는 머리를 썼다.

어느 날 그는 비디오 테이프를 가지고 왔다. 동물을 도살하는 과정을 그린 다큐멘터리 영화였다. 그는 아버지와 다른 가족에게 비디오 테이프를 보여주었다. 동물이 잔혹하게 도살되는 장면을 보면서 아버지는 너무도 마음 아파했고, 비디오를 보고 나자 더이상 고기를 먹고 싶은 생각이 사라져버렸다. 젊은이는 현명한 방법을 통해 아버지로 하여금 어떤 통찰에 이르게 한 것이다. 그는 아버지에게 화를 내고 자신에게 고통을 안겨주는 대신에, 자애와 지혜로 아버지를 설득한 것이다. 그는 가족 모두의 마음속에 연민의 정이 살아나게 하여 그들도 고기를 먹지 않도록 해준 것이다. 그 다큐멘터리를 가족에게 보여준 것은 매우 재치 있는 방법이었고, 가족에 대한 사랑이 가득한 방법이었다. 그처럼 재치 있는 방법을 쓰면 우리는 반드시 커다란 승리를 거둘 수 있다.

우리는 누구나 한 개인으로서 어떤 통찰을 갖고 있을 것이고, 그 통찰이 연민의 정을 낳고 행동하고자 하는 의지를 낳는다. 그러나 개인으로서 우리가 할 수 있는 일은 거기까지다. 다른 사람들도 그 통찰을 갖고 있지 않을 때, 우리는 자신이 할 수 있는 모든 방법을 다 써서라도 우리의 통찰을 그들에게 일깨워줘야 한다. 그러나 그 통찰을 남들에게 강요할 수는 없다. 어떤 아이디어라면 남에게 강요해서 받아들이게 할 수도 있겠지만, 통찰은 그렇게 되지 않는다. 통찰은 아이디어와는 다른 것이다. 자신의 통찰을 남에게 전하기 위해서는 그들도 똑같은 통찰에 이를 수 있는 조건을 만들어주어야 한다. 그들은 우리의 설득에 의해서가 아니라 그들 자신의 체험에 의해서 그 통찰에 이르러야 한다. 그러자면 기술이 필요하고, 우리 자신이 수련했던 것을 실천해야 한다.

*

플럼빌리지에서 스물두 살의 젊디젊은 자매 한 명이 다시는 서로 얼굴도 보지 않겠다고 다짐했던 한 모녀를 도와 그들이 서로 화해하도록 이끌어준 일이 있다. 모녀간의 갈등을 말끔히 풀어주는 데는 단 세 시간이 걸렸다. 세 시간이 지나자 모녀는 서로를 끌어안았다. 그들은 포옹 명상을 했다. 서로를 끌어안고, 몇 번 의식적인 심호흡을 했다. "숨을 들이쉴 때 나는 내가 지금 살아 있다는 것을 깨닫는다. 숨을 내쉴 때 나는 내가 사랑하는 이가 지금 살아 있다는 것을, 지금 나의 품에 안겨 있다는 것을 깨닫는다." 그들은 서로에게 서로가 있다는 사실을 자각하고, 각자의 백 퍼센트를 다 던져서 서로가 서로를 끌어안으며 현재의 순간을 완전히 깨달았다. 그것은 놀라운 치유력을 갖는 행위였다. 그 수련을 통해서 그들은 서로가 서로를 한없이 사랑한다는 사실을 깨달았다. 그들은 단지 여태껏 서로에 대한 한없는 사랑을 깨닫지 못했을 뿐이다. 그들의 관계를 유지하는 기술이 부족했고, 서로에게 말을 하고 서로의 말을 듣는 방법을 몰랐기 때문이다.

분노나 증오가 없다는 사실만으로는 남을 사랑하고 용납할 능력이 생기지 않는다. 좋은 방법으로 명상을 하면 우리는 누구나 우리 자신과 타인들의 마음속에 사랑과 이해가 다시 돌아오게 할 수 있다. 자신의 마음속에는 사랑이란 없다고 믿어서는 안 된다. 우리 모두의 마음속에는 늘 사랑이 있다. 비가 내릴 때도 우리는 햇빛을 볼 수 있다. 자신의 마음속에는 사랑이 없고, 오직 타인에 대한 증오만이 있다고 믿는 것은 옳지 않다. 그 타인이 죽었다고 가정해보자. 그러면 그 사람에 대한 사랑이 늘 나의 마음속에 있었다는 사실이 드러날 것이다. 그러므로 우리는 그 사람이 아직 살아 있을 때 그에 대한 우리의 사랑이 발현되도록 해야 한다. 마음속에 사랑이 되돌아오게 하기 위해서 우리는 화를 처리하는 방법을 알아야 한다. 화는 어김없이 혼란과 무지에서 빚어진다.

anger___33

한 사람씩 화를 참으면 전쟁도 막을 수 있다

내가 다섯 살짜리 소녀의 교사라고 가정해보자. 소녀의 어머니가 아이를 데리러 학교에 왔는데, 그 어머니가 아이에게 말을 험하게 하는 것을 보았다고 치자. 그러면 나는 무엇을 할 수 있을 것인가? 내가 할 수 있는 일은 매우 많다. 아이는 교사의 말을 잘 들을 것이고, 그러므로 나는 소녀가 어머니를 이해하도록 도울 수 있다. 어머니와의 사이에 무슨 어려움이 있는지 말하게 할 수 있다. 내가 소녀에게 좋은 어머니가 되어주는 것이다. 그리고 둘이서 힘을 합해서 어머니를 도와보자고 말할 수 있다. 어머니가 화를 내고 거친 말을 할 때는 어떻게 반응을 할 것인지 가르쳐줄 수도 있다. 회피하기만 하면 사태가 더욱 나빠진다는 것을 아이가 알게 해주어야 한다. 먼저 소녀를 돕는 일이 시급하다. 소녀에게서 변화가 일어나면 어머니에게 좋은 영향을 줄 수 있기 때문이다.

소녀의 교사로서 나는 또 소녀의 어머니와도 대화를 해야 한다. 연민의 정과 통찰을 갖고 있으면 나는 소녀의 어머니에게도 도움을 줄 수 있다. 그렇게 하지 않으면 나는 그 어머니는 그르고 소녀는 옳다는 판단만을 내리게 된다. 그리하여 딸을 학대하는 어머니의 행위를 비난하게 될 것이다. 어머니가 딸에게 저지르는 폭력에는 반대하지만, 그러나 그 반대를 표현하는 것만으로는 도움을 줄 수가 없다. 다른 무엇을 해야 한다. 연민의 정과 통찰로, 학대받는 그 아이뿐만이 아니라 아이의 부모를 위해서도 내가 할 수 있는 일을 해야 한다. 아이의 부모를 돕지 못하면 아이까지 도울 수가 없게 된다. 아이를 희생자로 보게 될 것이고, 아이에게만 도움이 필요하다고 생각하게 될 것이다. 그러나 아이를 진정으로 돕고 싶으면 그 부모를 도와야 한다. 부모를 돕지 못하면 아이까지도 도울 수가 없다. 부모를 돕는 것이 곧 아이를 돕는 것이다. 그 부모의 마음속에는 무지로 인한 폭력과 분노가 가득하고, 그래서 아이가 고통을 당하는 것이다. 그러므로 나는 그 부모에게 연민을 가져야 한다. 고통의 씨앗이 무엇인지를 보아야 한다.

❋

프랑스 정부는 비행 청소년들을 돌보기 위해서 갖은 노력을 다 한다. 그들은 나름대로의 통찰을 갖고 있다. 그들은 청소년들이 비행을 저지르고 고통을 당하는 것은 사회에 그 책임이 있다는 것을 분명히 인식하고 있다. 청소년들이 비행을 저지르고 분노하는 이유가 무엇인지를 알기 위해서 정부는 사회 구석구석의 이야기를 충분히 들어야 한다. 제대로 대응하기 위해서는 마치 의사처럼 귀를 기울여야 한다. 그렇게 하면 우리는 그들의 분노와 폭력의 뿌리가 가정에 있다는 것을, 부모들이 자식들을 대하는 태도에 있다는 것을 분명히 인식할 수 있다. 그리고 가정 폭력의 뿌리는 사회의 구조와 소비행태에서 비롯된 것임을 알 수 있을 것이다.

정부는 곧 사람이다. 정부는 아버지이고 어머니이고 아들이고 딸인 사람들로 이루어져 있다. 그 아버지와 어머니와 아들과 딸은 제각기 가정의 폭력을 그 몸 안에 지니고 있다. 그러므로 프랑스의 수상은 먼저 자신의 분노와 좌절과 고통의 뿌리를 들여다보아야 한다. 그렇지 않으면, 그는 젊은 세대의 폭력과 분노와 실의를 이해하지 못할 것이다. 그는 또 그의 정부의 모든 공무원들을 충분히 이해해서 그들의 고통을 헤아려야 한다. 시민으로서, 정부의 한 구성원으로서, 우리 모두가 행동을 해야 하며, 그 행동의 토대는 다름 아닌 이해여야 한다.

우리 사회의 분노와 폭력의 뿌리를 파악하기 위해서 우리 각자가 스스로를 깊이 성찰한다면, 우리는 젊은 사람들에 대해서 깊은 연민을 가질 수 있다. 그리하여 단지 그들을 가두고 처벌하는 것만으로는 전혀 소용이 없다는 것을 알게 될 것이다. 이것은 프랑스의 전임 수상 죠스팽Jospin이 했던 말이다. 그와 그의 정부는 나름의 통찰을 갖고 있었다. 그러나 시민으로서 국민으로서 우리 모두가 정부를 도와야 한다. 우리는 그 같은 통찰이 더욱 심화되도록 도와야 한다. 교육자와 부모와 예술가와 작가 모두가 제각기 정부에 도움을 주기 위한 통찰을 얻도록 노력해야 한다.

집권당이 아니라 반대당에 소속된 사람들도 노력을 해야 한다. 그들이 집권당을 돕는 것은 곧 국가를 돕는 것이다. 그들이 도와야 할 대상은 국가이지 집권당이 아니다. 만약 현직 프랑스 수상이 프랑스 젊은이들의 조건을 개선하기 위한 조치를 취할 기회를 지금 갖고 있다면 그에게 도움을 주는 것이 곧 국가를 위해 봉사하는 가장 적절한 방법이다. 그것은 자신이 소속된 정당을 배신하는 행위가 아니다. 그 정당도 국가에 봉사하기 위해서 존재하는 것일 뿐, 다른 정당에게 어려움을 주려는 것이 목적이 아니다. 그러므로 정치가들은 나와 남이 별개가 아니라는 정신을 실천해야 한다. 모든 정치적 제휴는 서로간의 이해에서 이루어진다는 것을 그들은 알아야 한다. 그것은 붕당정치가 아니라 참된 지혜의 정치다. 그것이 인간적인 정치이고, 권력을 얻는 것만을 목표로 하는 정치가 아니라 사회의 복지를 이루고 변화를 꾀하고자 하는 정치다.

anger___ 34

주위에서 일어나는 일을 항상 의식하라

우리의 몸 안에는 갖가지 독소가 들어 있다. 그리고 피가 제대로 순환되지 않으면 그 독소들이 특정한 곳에 쌓이게 된다. 건강을 유지하기 위해서 우리의 몸은 이 독소들을 밖으로 내보내야 한다. 마사지는 혈액의 순환을 원활하게 해준다. 혈액순환이 원활할 때는 신장과 간과 폐에 영양이 잘 공급되어서 독소들을 밖으로 내몰 수 있다. 그러므로 혈액순환은 우리의 건강을 위해서 매우 중요하다. 물을 많이 마시고 심호흡을 자주 하면 피부와 폐와 소변과 대변을 통해서 독소들이 잘 배출된다.

마찬가지로 우리 마음속에 들어 있는 고통과 슬픔과 절망의 장벽도 말하자면 일종의 독이다. 그 독을 감싸안아서 변화시키기 위해서 우리는 자각을 실천해야 한다. 자각의 에너지로 고통과 슬픔을 감싸안는 것은 곧 우리 몸의 아픈 곳을 마사지하는 것이나 마찬가지다.

혈액순환이 원활하지 않으면 우리 몸의 기관들이 제대로 기능을 하지 못하고 몸이 병들게 되듯이, 정신이 제대로 순환하지 못하면 우리의 마음에도 병이 들게 된다. 자각은 우리의 정신이 고통의 장벽들을 넘어서 순조롭게 순환하도록 도와주는 에너지다.

자각은 화나 절망과 맞서 싸우기 위한 것이 아니다. 자각은 깨달음을 얻기 위한 것이다. 우리가 무언가를 자각한다는 것은 지금 이 순간에 일어나고 있는 일을 의식하고 있다는 것을 의미한다. 자각은 현재의 순간에 일어나고 있는 일을 정확히 깨닫는 능력이다. "숨을 들이쉴 때 나는 지금 내가 화가 나 있다는 사실을 깨닫는다. 숨을 내쉴 때 나는 지금 그 화를 보고 미소를 짓는다." 이것은 감정을 억압하거나 화와 맞서 싸우려는 행위가 아니다. 그것은 깨달음의 행위일 뿐이다. 지금 우리의 마음속에 화가 일어나고 있다는 사실을 자각할 때 우리는 자애로운 마음을 통해 의식적으로 그 감정을 끌어안을 수 있다.

실내가 추우면 우리는 히터를 켠다. 그러면 히터가 뜨거운 바람을 방 안 가득 퍼뜨린다. 실내를 따뜻하게 하기 위해서 굳이 차가운 공기를 밖으로 내몰 필요는 없다. 차가운 공기가 뜨거운 공기에 안겨서 따뜻해진다. 둘 사이엔 전혀 싸움이 일어나지 않는다.

우리는 바로 그 같은 방식으로 화를 보살펴야 한다. 자각은 화가 지금 마음속에 있다는 것을 확인하고, 그것을 있는 그대로 받아들이는 것이다. 자각은 어린 동생의 고통을 억압하지 않는 큰형과도 같다.

형은 이렇게 말할 것이다. "아우야, 네 곁엔 내가 있단다." 그리고 어린 동생을 품에 안고 달래줄 것이다. 이것이 바로 우리가 실천해야 할 행동이다.

아기가 울 때마다 화가 나서 마구 때리는 어머니가 있다고 가정해보자. 그 어머니는 자기와 아기가 한몸이라는 사실을 모른다. 우리는 누구나 우리 마음속에 있는 화의 어머니다. 그러므로 우리는 그 아기를 보살펴야 할 뿐, 맞서 싸우거나 억압해서는 안 된다. 우리의 마음속에는 화만이 있는 게 아니라, 애정도 있다. 명상은 싸움을 위한 것이 아니다. 명상은 무엇과 맞서 싸우기 위한 것이 아니라, 그것을 끌어안아서 변화시키기 위한 것이다.

❋

우리는 깨달음이라는 나무를 크게 자라게 하기 위해서 고난과 고통을 잘 이용해야 한다. 그것은 마치 연꽃을 피워내는 것과도 같다. 우리는 돌 위에 연꽃이 피어나게 할 수는 없다. 연꽃을 피우려면 반드시 진흙이 있어야 한다.

명상을 실천하는 사람들은 마음속의 장벽이나 올가미를 거부하지 않는다. 우리는 우리의 마음을 선과 악이 맞서 싸우는 전쟁터로 만들어서는 안 된다. 우리는 고난과 두려움, 화와 시기를 더없이 자애로운 마음으로 어루만져주어야 한다. 마음속에서 화가 일어날 때 우리는 당장 의식적인 호흡을 실천해야 한다. "숨을 들이쉴 때 나는 지금 내 마음속에 화가 있다는 것을 안다. 숨을 내쉴 때 나는 그 화를 잘 보살핀다." 우리는 마치 어머니가 아기를 돌보듯이 화를 돌봐야 한다. "숨을 들이쉴 때 나는 지금 내 아기가 울고 있다는 걸 안다. 숨을 내쉴 때 나는 내 아기를 잘 보살핀다." 이것이 바로 애정과 연민을 실천하는 것이다.

스스로를 애정으로 보살피는 방법을 모르고서 어떻게 타인을 애정으로 돌볼 수 있을 것인가? 마음속에서 화가 일어날 때는 의식적인 호흡과 보행을 지속적으로 실천함으로써 자각의 에너지가 생성되게 해야 한다. 마음속에 차올라 있는 화의 에너지를 부드럽게 감싸안아야 한다. 그럴 때는 화가 한동안 마음속에 머물러 있다 하더라도 우리는 안전할 수 있다. 우리 마음속에 부처가 있어서 화를 보살피도록 도와주기 때문이다. 자각의 에너지는 부처의 에너지다. 의식적으로 호흡을 하고 의식적으로 화를 끌어안고 있으면 우리는 부처의 보호를 받고 있는 셈이 된다. 거기에는 한 점 의심의 여지도 없다. 부처가 넓은 자비심으로 우리와 우리의 화를 감싸안고 있는 것이다.

anger___ 35

타인을 위로하면 내가 위로받는다

화가 났을 때, 절망에 빠졌을 때, 우리는 의식적인 호흡과 보행을 실천하여 자각의 에너지를 생성시킨다. 이 에너지가 우리의 고통스러운 감정들을 모두 파악해서 끌어안아 준다. 자각의 에너지가 충분히 강하지 못할 때는 함께 수련하는 형제 자매들에게 도움을 청하는 것이 좋다. 그들과 함께 앉아서 호흡하고 걷고 명상을 하면 그들이 가진 자각의 에너지가 우리에게 커다란 도움을 줄 것이다.

자각을 수련한다는 것은 모든 것을 혼자서 해야 한다는 뜻이 아니다. 친구들의 도움을 받는 편이 훨씬 나을 때도 있다. 그들의 자각 에너지가 우리의 고통스러운 감정을 보살피는 데 큰 힘이 되어줄 수 있기 때문이다.

우리는 또 어려움에 처해 있는 사람들과도 함께 수련을 할 수 있다. 우리의 자식이 매우 고통스러운 감정의 물에 빠졌을 때 우리는 그의 손을 잡아주면서 이렇게 말할 것이다. "얘야, 심호흡을 해봐. 아빠하고 엄마하고 같이 천천히 심호흡을 해봐." 또 우리는 자식의 손을 잡고 함께 걸을 것이다. 자식의 손을 잡고 걸음을 옮길 때마다 그의 고통이 가라앉기를 간절히 바랄 것이다. 그렇게 자식에게 우리의 자각 에너지를 전해주면 자식은 이내 마음이 진정될 것이고, 그리하여 자신의 감정을 끌어안을 수 있을 것이다.

❋

자각의 첫째 기능은 확인을 하는 것이지 맞서 싸우는 것이 아니다. 지금 마음속이 화로 들끓고 있다는 사실을 확인하면 우리는 그것을 감싸안을 수 있다. 화를 감싸안는 것이 자각의 둘째 기능이다. 마음속에서 어떤 고통스러운 감정이 일어났을 때, 그것과 맞서 싸우지를 않고 잘 보살펴준다는 것은 참으로 즐거운 경험이다. 화를 감싸안는 방법을 알면 반드시 무언가가 달라질 것이다.

그것은 마치 감자를 삶는 것과 같다고 앞서 여러 번 얘기했다. 냄비 뚜껑을 덮어서 불 위에 올려놓으면 이윽고 익기 시작할 것이다. 감자를 제대로 익히기 위해서는 적어도 20분쯤 불을 켜놓아야 한다.

자각은 화라는 감자를 삶기 위한 불이다. 화를 확인해서 몇 분간 감싸안고 있으면 무언가가 달라지기 시작할 것이다. 마음이 어느 정도 편안해질 것이다. 화가 아직 마음속에 있지만, 그러나 이제는 그리 고통스럽지 않다. 그 아기, 곧 화를 보살피는 방법을 깨달았기 때문이다. 자각의 셋째 기능은 화를 달래고 위로하는 것이다. 화가 아직 거기에 있지만, 이제는 보살핌을 잘 받고 있다. 이제는 그리 혼란스럽지가 않다. 우는 아기가 혼자 버려져 있지 않기 때문이다. 어머니가 아기를 품에 안고 잘 보살피고 있기 때문이다.

❋

그러면 그 어머니는 누구인가? 그 어머니는 우리 안에 살아 있는 부처다. 자각에 이르는 능력, 이해하고 사랑하고 돌보는 능력이 곧 우리 안에 살아 있는 부처다. 자각의 에너지를 일으킬 때마다 우리의 마음속에서 부처가 살아나게 된다. 부처가 우리의 마음속에 있을 때 우리는 더이상 아무것도 걱정할 필요가 없다. 우리 마음속에 부처가 계속 살아 있게만 하면 모든 일이 다 잘 풀려나갈 것이기 때문이다.

우리의 마음속에는 늘 부처가 있다는 사실을 깨닫는 것이 중요하다. 화가 났을 때도 절망에 빠졌을 때도 늘 우리의 마음속에는 부처가 있다. 이것은 우리가 언제 어느 순간에도 자각을 실천할 수 있으며, 자신과 남을 이해하고 사랑할 수 있다는 것을 의미한다.

우리 안에 있는 부처를 느끼기 위해서 우리는 의식적인 호흡이나 보행을 실천해야 한다. 의식 속에 들어 있는 자각의 씨앗을 느낄 때 우리의 마음속에 있는 부처가 현현해서 화를 감싸안아 줄 것이다. 우리는 아무것도 걱정할 필요가 없고, 다만 호흡과 보행을 지속적으로 자각함으로써 부처를 우리 안에 살아 있게 하면 된다. 그러면 모든 것이 다 좋아질 것이다. 부처가 우리의 고통과 고난을 확인하고 감싸안아 준다. 부처가 우리를 위로하고 화의 실체를 깊이 들여다봐 준다. 부처가 우리를 이해해준다. 그리고 그 이해가 우리에게서 변화를 일으킬 것이다.

자각의 에너지에는 집중과 통찰을 위한 에너지가 함께 들어 있다. 정신을 집중하고 있을 때는 자신을 성찰하기 위한 에너지가 한층 더 강해진다. 그리하여 통찰로 나아가기 위한 추진력이 생긴다. 통찰은 늘 우리를 자유롭게 해주는 힘을 갖고 있다. 통찰은 우리에게 자유를 주는 힘이다. 우리에게 자유를 주고 변화를 일으키게 하는 것이 바로 통찰이다. 그것은 우리의 화를 보살펴주는 부처의 마음이다.

anger — 36

화의 씨앗을 자극하지 마라

우리의 의식을 집에 비유해보자. 집에는 지하실이 있고 거실이 있다. 지하실은 말하자면 잠재의식이고 거실은 표층의식이다. 화와 같은 우리 마음속의 장벽은 잠재의식 속에 씨앗으로서 저장되어 있다. 그리고 그 씨앗을 자극하는 것을 듣고 보고 읽고 생각하면 화가 일어나서 거실로, 의식의 표층으로 올라온다. 그리고 그 에너지가 거실의 분위기를 무겁고 불쾌하게 만든다. 화가 차오르면 우리는 고통을 받는다.

화가 나타나면 수련자는 즉시 의식적인 호흡과 보행을 통해서 자각의 에너지를 일으켜야 한다. 화의 에너지에 대응하기 위한 또 하나의 에너지를 만들어내는 것이다. 호흡과 보행뿐만 아니라 일상의 모든 일을 의식적으로 수행함으로써 자각을 실천하는 것이 중요한 이유가 바로 그것이다. 그러면 부정적인 에너지가 일어날 때마다 우리는 이내 자각의 에너지를 생성시켜 그 에너지를 감싸안고 보살필 수 있다.

❋

고통과 슬픔과 화와 절망은 그 씨앗이 충분히 커지면 지하실에서 거실로 올라오려고 한다. 우리에게 자기를 봐달라고 요구하는 것이다. 그러나 우리는 대면하기가 괴롭기 때문에 그것이 거실로 올라오는 것을 원하지 않는다. 우리는 그것이 올라오지 못하도록 억누르려 한다. 그저 지하실에서 소리없이 잠이나 자고 있어주길 바란다. 그래서 우리는 습관적으로 다른 손님들을 잔뜩 거실에 초대한다. 그러나 10분에서 15분쯤 지나면 무엇을 어찌 해야 할지를 모르는 지경이 되고 만다. 마음속의 그 씨앗들이 일거에 올라와서 거실을 난장판으로 만들어버린다. 그런 상황을 피해보려고 우리는 책을 펴고, 텔레비전을 켜고, 드라이브를 나간다. 거실을 다른 무엇으로 가득 채우려고 갖은 애를 쓴다. 거실이 가득 채워지면 마음속의 그 불쾌한 감정의 씨앗들이 고개를 들지 못할 것이라고 생각한다.

마음속의 그 씨앗들에게도 순환이 필요하지만, 그러나 우리는 고통을 감당하기가 싫어서 그 감정들이 올라오는 것을 원하지 않는다. 우리는 그것들이 거기에 그냥 묻혀 있기를 바란다. 그래서 우리는 습관적으로 거실을 온갖 잡다한 것들로 가득 채우려고 한다. 잠재의식 속의 감정들이 표층으로 올라오지 못하게 하려고 텔레비전과 책과 잡지와 사람들과의 만남과 대화로 거실을 가득 채운다. 그러나 계속 그렇게만 하면 정신 속에서 순환이 제대로 이루어지지 않고, 급기야는 정신 질환의 징후들이 나타나기 시작한다. 우리의 몸에서 일어나는 것과 똑같은 과정이 마음에서도 일어나는 것이다.

아스피린을 먹어도 두통이 말끔하게 가시지 않는 경우가 있다. 그럴 경우에 그 두통은 정신적 질병의 징후일 수 있다. 또 우리는 더러 알레르기 반응을 일으키는 때가 있다. 우리는 그것을 신체상의 문제라고 생각하지만, 알레르기도 역시 정신적 질병의 징후일 수 있다. 그럴 경우에 의사들은 약을 권하지만, 그러나 약물을 섭취하는 것은 마음속의 장벽을 더욱 억압하고, 그리하여 질병을 더욱 악화시키는 결과를 초래할 수 있다.

❋

지하실에 있던 고통이 거실로 올라오는 것을 가로막는 장애물을 걷어내면, 우리는 그 고통을 감당하지 않을 수 없다. 그걸 피할 수 있는 길은 없다. 부처가 우리에게 고통을 감싸안는 법을 배워야 한다고 가르쳤던 이유가 바로 이것이다. 자각을 실천하는 매우 중요한 이유도 바로 이것이다. 강력한 에너지원을 만들어내면 그 부정적인 에너지들을 파악하고 감싸안고 보살필 수 있게 된다. 그리고 우리의 마음속에는 자각의 에너지라는 부처가 들어 있기 때문에, 우리는 그 부처의 도움을 받아서 마음속의 올가미들을 감싸안을 수 있다. 그 부정적인 감정들이 거실로 올라오지 않으려고 하면, 꾀어서라도 올라오게 하는 것이 좋다. 그리고 한참 동안 감싸안아 주면, 지하실로 돌아가서 다시 씨앗이 될 것이다.

부처는 누구나 공포의 씨앗을 갖고 있지만 대다수가 그 씨앗을 억눌러서 어두운 곳에 감추어두고 있다고 했다. 또한 그 공포의 씨앗을 확인하고 감싸안고 돌보기 위해서는 다음과 같은 다섯 가지 사실을 반드시 명심해야 한다고 했다.

· 나는 반드시 늙는다. 그것을 피할 길은 없다.
· 나는 반드시 질병에 걸린다. 그것을 피할 길은 없다.
· 나는 반드시 죽는다. 그것을 피할 길은 없다.
· 나와 내가 사랑하는 사람에게 소중한 것은 모두 그대로 있어 주지 않는다. 그것을 피할 길은 없다. 나는 아무것도 그대로 유지할 수 없다. 나는 빈손으로 왔으므로 빈손으로 돌아가야 한다.
· 내 행동만이 나의 진정한 소유물이다. 나는 내 행동의 결과를 피할 길이 없다. 내 행동만이 내가 이 세상에 서 있는 토대다.

우리는 날마다 잠깐이라도 시간을 내어서 이 다섯 가지 사실을 깊이 생각하고 실천해야 한다. 그러면 공포의 씨앗이 정신 속에서 순환하게 된다. 우리는 그 씨앗을 불러내어 감싸안아 주어야 한다. 그런 다음에 되돌려보내면 그 씨앗이 훨씬 작아질 것이다.

공포의 씨앗을 그렇게 보살펴줄 때 우리는 화를 보살피기 위한 장치도 더 잘 갖출 수 있다. 공포는 우리의 삶에 화를 준다. 공포가 마음속에 있을 때는 평화를 가질 수 없고, 따라서 화가 크게 자랄 토양을 마련해주게 된다. 공포는 무지에서 나오는 것이고, 무지는 이해의 결핍이 빚어내는 것으로서 화의 주요 원인이 된다.

자각으로 마음속의 고통의 씨앗을 씻어줄 때마다 그 씨앗들이 일으킬 고통이 가벼워지고 덜 위험스러워진다. 그러므로 화와 절망과 공포를 날마다 잘 씻어주어야 한다. 그것이 바로 우리가 하는 수련이다. 자각이 없는 상태에서 그 씨앗들이 고개를 들면 참으로 견디기가 힘겨워진다. 그러나 자각의 에너지를 일으키는 방법을 알고 있으면, 날마다 즐거운 마음으로 그 씨앗들을 불러내어서 감싸안아 줄 수 있다. 며칠이나 몇 주일 동안 날마다 그 씨앗들을 불러내어서 감싸주고 다시 돌려보내면, 정신의 순환이 마침내 원활하게 이루어질 것이고, 정신적 질병의 징후들이 사라질 것이다.

자각은 마음속에 자리잡고 있는 고통의 씨앗들을 마사지해주는 것이다. 우리는 그 씨앗들이 마음속에서 원활하게 순환하도록 이끌어 주어야 하며, 그러기 위해서는 먼저 그것들에 대한 두려움을 버려야 한다. 마음속에 들어 있는 고통의 올가미들을 두려워하지 않을 때 우리는 자각의 에너지로 그것들을 감싸안고 변화시키는 방법을 배울 수 있다.

anger___37

마음을 돌보기 위해서는 먼저 몸을 돌봐야 한다

시기와 절망과 화의 에너지가 몸 안에 일어나면 우리는 그것을 처리하는 방법을 알아야 한다. 그렇지 않으면 우리는 그 에너지에 압도당하여 커다란 고통을 당하게 된다. 따라서 의식적인 호흡은 우리의 여러 가지 부정적인 감정을 보살피는 데 도움이 된다.

우리의 감정을 보살피기 위해서는 먼저 우리의 몸을 보살피는 방법을 알아야 한다. 들숨과 날숨을 자각하면 우리는 몸을 자각할 수 있다. 호흡을 의식적으로 할 때 생기는 자각의 에너지로 자신의 몸을 감싸안도록 하자.

우리는 일상에 너무도 분주한 나머지 우리의 몸이 얼마나 중요한지를 잊고 산다. 우리의 몸은 고통을 당하거나 병이 들 수 있다. 그러므로 자각의 에너지로 몸을 따뜻하게 감싸안기 위해서 우리는 우리의 몸에게로 되돌아가는 방법을 알아야 한다. 어머니가 아기를 품에 안듯이 우리도 우리의 몸을 따뜻하게 감싸안아야 한다. 먼저 우리의 몸에게로 돌아가고, 그런 다음에 자각의 에너지로 따뜻하게 몸을 감싸안자. 우리의 몸 전체를 감싸안은 다음에는 눈, 코, 폐, 심장, 위, 신장 등, 우리 몸의 각 부분들을 차례로 안아준다.

❋

우리의 몸을 감싸안기 위한 가장 좋은 자세는 드러눕는 것이다. 반듯이 드러누워서 몸의 각 부분에 정신을 집중한다. 심장을 예로 들어보자. 숨을 들이쉴 때 심장을 의식하고 숨을 내쉴 때는 심장에 미소를 지어준다. 심장에게 나의 사랑을 보낸다.

자각의 에너지는 우리 몸의 각 부분들을 자세히 볼 수 있게 해주는 빛과도 같다. 병원에서는 신체의 모든 부위들을 자세히 살펴보기 위한 스캐너가 있다. 그러나 스캐너의 빛은 X선일 뿐, 자각이라는 사랑의 빛이 아니다.

자각의 빛으로 우리의 몸을 자세히 비춰보는 것을 우리는 '깊은 이완' 이라고 부른다(부록 D를 볼 것). 호흡을 자각하기 위해서는 숨을 들이쉬고 내쉴 때마다 마음을 가라앉히려고 의식적으로 노력하는 것이 좋다. 자각의 에너지로 몸을 감싸안으면 긴장이 풀리고 흥분이 진정되어서 다시 평화로워진다. 몸이 평화로워지면 모든 기능이 원활해지고, 그리고 치유가 시작된다. 그러면 마음도 평화로워진다.

다시 말해서 호흡은 우리 몸의 일부다. 우리가 무언가를 두려워하거나 화가 났을 때는 호흡의 질이 크게 떨어진다. 숨이 짧아지고, 소리가 나고, 호흡이 평화롭게 이루어지지 않는다. 그러나 의식적으로 숨을 들이쉬고 내쉼으로써 호흡을 안정시키면, 불과 몇 분 만에 호흡의 질이 한결 나아진다. 호흡이 가벼워지고, 소리가 나지 않고, 훨씬 더 조화롭게 이루어진다. 그리고 마음도 진정되기 시작한다.

명상과 마찬가지로 호흡도 하나의 기술이다. 몸과 마음에 조화가 다시 깃들게 하기 위해서 우리는 호흡을 매우 기술적으로 해야 한다. 호흡을 거칠게 하면 몸과 마음에 조화와 평화를 줄 수 없다. 일단 호흡이 차분해지고 깊어지면 그 상태를 지속시킬 수 있고, 그런 다음에 몸의 각 부분들을 감싸안는 과정으로 나아간다.

반듯이 드러누워서 호흡을 의식적으로 하여 자각의 에너지가 일어나게 한다. 자각의 에너지라는 사랑의 빛으로 머리부터 발바닥에 이르기까지 몸의 각 부분들을 차례로 감싸안아 준다. 걸리는 시간은 약 30분이다. 이것이 우리가 우리의 몸에게 사랑과 관심을 보여주는 가장 좋은 방법이다.

이러한 행동은 누구나 마음만 먹으면 하루에 한 번씩 할 수 있다. 잠자기 전에 가족이 모두 함께 마루에 앉아서 몸과 마음의 긴장을 완전히 풀어주는 수련을 할 수도 있다. 텔레비전을 끄고, 가족 모두가 모여서 수련을 하자.

❋

우리의 강력한 감정들을 처리하기 위한 몇 가지 간단한 방법이 있다. 복식호흡도 그 중 한 가지다. 복식호흡은 배로 하는 호흡을 의미한다. 복식호흡은 두려움이나 화와 같은 강렬한 감정에 마음이 빼앗겼을 때 배에 정신을 집중하기 위한 방법이다. 두려움이나 화와 같은 감정은 마치 폭풍우처럼 강렬하다. 폭풍우 속에 서 있는 것은 매우 위험하다. 그런데도 많은 사람들이 그 같은 감정이 마음을 지배하도록 방치하는 경우가 허다하다. 그럴 때는 정신을 몸의 아랫부분에 집중해야 한다. 배에 정신을 집중한 채로 의식적으로 호흡을 하고, 오직 배가 솟아올랐다가 꺼지는 데만 주의를 집중해야 한다.

폭풍우 속에 서 있는 나무를 보자. 나무의 꼭대기는 매우 위태롭고 불안하다. 작은 가지들이 곧 부러질 것 같다. 그러나 나무의 등걸을 보면 전혀 다른 인상을 받는다. 견고하게 안정되어 있는 등걸은 아무리 거센 폭풍우에도 미동조차 하지 않는다. 우리도 나무의 등걸과 같다. 강렬한 감정의 폭풍우가 몰아칠 때 우리의 머리는 마치 나무의 꼭대기와도 같다. 그러므로 우리는 주의를 배꼽 아래로 끌어내려야 한다. 그리고 의식적으로 호흡을 하자. 배가 솟아오르고 꺼지는 데만 온 정신을 집중해야 한다. 그러면 제 아무리 강렬한 감정이라도 오래지 않아서 사라질 것이다. 견디기 힘들 때 이것을 실천하면 우리는 아무리 거센 폭풍우도 거뜬히 이겨낼 수 있다.

마음속에서 일어나는 모든 감정은 단지 하나의 감정일 뿐이라는 사실을 깨닫자. 마음속에서 일어난 감정은 잠시 그 자리에 머물러 있다가 사라진다. 그까짓 감정 하나 때문에 목숨까지 위태롭게 해서야 되겠는가? 우리에게는 감정만이 있는 게 아니다. 우리는 이 사실을 명심해야 한다. 위태로운 감정에 휘말렸을 때는, 호흡을 의식적으로 하면 그 감정이 이내 사라진다는 것을 명심하자. 몇 번 성공하고 나면 스스로에게 자신감이 생길 것이고 그 방법에 대해서도 신뢰가 생길 것이다. 나쁜 생각과 감정에 마음을 빼앗겨서는 안 된다. 그럴 때는 주의를 배에 집중하고 깊이 호흡하자. 그러면 폭풍우가 이내 가라앉을 것이다. 두려워할 필요가 전혀 없다.

anger—— 38

마음속의 감정들을 파악하고 감싸안아라

우리가 자각으로 우리의 몸을 감싸안는 것은 몸을 평안하게 하기 위해서다. 우리는 마음속의 온갖 감정들에 대해서도 그렇게 할 수 있다. 숨을 의식적으로 들이쉬고 내쉬면서 자신의 마음속에 있는 감정들을 짚어보는 것이다. 불교에서는 인간의 마음속에는 51가지의 감정들이 있다고 한다. 화와 갈망과 시기 같은 부정적인 감정도 있고, 자각과 평정 같은 긍정적인 감정도 있다.

기쁨이나 연민 같은 긍정적인 감정을 느낄 때, 의식적으로 심호흡을 하면 우리는 우리의 마음속에 기쁨과 연민이라는 감정이 정확히 어디에 있는지를 깨달을 수 있다. 그렇게 의식적인 호흡으로 기쁨과 연민의 감정을 감싸안으면 그 감정들이 열 배나 스무 배는 더 커질 것이다. 의식적인 호흡은 그 감정들이 더 오래 지속되게 해주고, 더 강렬하게 느껴지게 해준다. 그러므로 기쁨과 행복과 연민 같은 감정이 마음속에서 일어날 때는 그것을 따뜻하게 감싸안아 주어야 한다. 그 같은 감정들은 우리의 몸을 이롭게 하는 음식과도 같다. 우리가 "명상이 주는 기쁨은 우리의 나날의 양식"이라고 말하는 것은 명상을 통한 자각에서 나오는 기쁨의 감정이 우리를 기름지게 유지해주기 때문이다.

이와 마찬가지로, 화나 시기 같은 부정적인 감정이 일어날 때도 우리는 그 감정들을 지그시 감싸안아 주어야 한다. 어머니가 우는 아기를 품에 안고 달래듯이, 우리는 의식적인 호흡을 통해서 그 감정들을 가라앉혀야 한다.

⁂

우리는 흔히 우리의 마음을 밭이라고 말한다. 모든 감정의 씨앗들이 우리의 마음속에 묻혀 있다. 우리의 모든 감정들은 표층의식에서 태어나서 거기에 한동안 머물러 있다가, 다시 씨앗이 되어서 잠재의식 속으로 돌아가서 파묻힌다.

연민이라는 감정도 씨앗으로서 잠재의식 속에 묻혀 있다. 그 씨앗에 물을 뿌려줄 때 곧, 그 감정을 자극할 때, 연민이 싹을 틔우고 표층의식으로 올라온다. 기쁨이나 연민 같은 긍정적인 감정이 의식 속에 나타나면 우리는 행복감을 느낀다. 그러나 시기나 화와 같은 부정적인 감정은 우리에게 불행감을 안겨준다. 기쁨도 화도 그것이 마음의 밭에 묻혀 있고 아무것에도 자극받지 않으면 그저 씨앗일 뿐이다.

그러나 그 씨앗이 싹을 틔워서 표층의식으로 올라오면 하나의 감정이 된다. 우리는 이 사실을 명심해야 한다. 화가 그 모습을 드러내지 않을 때도 그것이 마음속에 있다는 것을 반드시 알고 있어야 한다.

우리는 누구나 의식의 깊은 곳에 화의 씨앗을 갖고 있다. 그것이 씨앗으로서 묻혀 있을 때는 전혀 화를 느끼지 않는다. 남들에게 화를 내지 않고, 그저 기분이 좋고, 표정도 밝다. 그러나 화는 우리 마음 어딘가에 분명히 존재한다. 화가 표층의식으로 나타나지 않았을 뿐, 잠재의식 속에는 그 씨앗이 여전히 묻혀 있다. 누군가가 그 씨앗을 자극하는 말이나 행동을 하면 화가 이내 표층의식에, 거실에, 그 모습을 드러낸다.

훌륭한 수련자라고 해서 화나 고통의 감정이 없는 것은 아니다. 그것은 불가능한 일이다. 훌륭한 수련자는 단지 그 감정들이 고개를 들면 이내 그것을 처리하는 방법을 아는 사람일 뿐이다. 수련을 하지 않는 사람은 화를 처리하는 방법을 알 수 없고, 그래서 쉽게 압도당한다.

그러나 삶의 모든 것을 자각하는 사람은 쉽게 화에 마음을 빼앗기지 않는다. 자각의 씨앗을 불러내어 화를 보살피게 하기 때문이다. 호흡과 보행을 의식적으로 하면 누구나 화를 보살필 수 있다.

❋

우리는 누구나 습관적인 에너지를 갖고 있다. 습관적 에너지에

떠밀려서 말이나 행동을 하면 타인들과의 관계를 해친다는 것은 누구나 알고 있다. 그러나 그것을 잘 알면서도 우리는 화로 비롯된 행동과 말을 한다. 수많은 사람들이 습관적 에너지 때문에 타인들과의 관계에서 큰 고통을 받고 있다. 타인들과의 관계에 금이 간 후에야 우리는 후회를 하고, 다시는 그런 짓을 하지 않을 것이라고 다짐한다. 그 심정은 매우 진실한 것이다. 선의만이 가득한 심정이다. 그러나 또다시 똑같은 조건이 주어지면 똑같은 말을 하고 행동을 하게 되고, 그리하여 관계를 더욱 악화시킨다.

우리의 지성과 지식은 습관적 에너지를 처리하는 데 아무 도움이 되지 않는다. 오직 그것을 파악하고 감싸안고 변화시키는 것 외에는 방법이 없다. 부처는 습관적 에너지가 일어날 때 즉시 호흡을 의식적으로 해서 그것을 보살피라고 가르쳤다. 자각의 에너지로 습관적 에너지를 감싸안으면 우리는 안전하다. 똑같은 실수를 되풀이하지 않을 수 있다.

플럼빌리지에서 3주일 동안 수련을 했던 젊은 미국인이 있었다. 수련을 하는 동안에 그는 매우 평안하고 따뜻하고 사려 깊었다. 어느 날 그는 시장을 보러 갔다. 장을 보는 동안에 그는 문득 자기가 몹시 조급하게 서둘고 있다는 것을 알아차렸다.

플럼빌리지에 온 이후 그는 처음으로 모든 것을 빨리 해치우고 싶어서 초조해하는 심정을 느꼈다. 플럼빌리지에서 그는 조금도 흔들

림이 없이 형제 자매들과 수련을 했다. 그는 그들의 에너지로부터 깊은 영향을 받았고, 그래서 매사를 서두르는 습관적 에너지가 고개를 들지 못했다. 수련원에서 그를 지탱해주었던 그 에너지가 시장을 보고 있던 그에게는 없었고, 그래서 그의 안에 잠재되어 있었던 습관적 에너지가 고개를 든 것이다.

그는 그 습관적 에너지가 그의 어머니로부터 그에게 전해진 것임을 이내 깨달았다. 그의 어머니는 늘 모든 것을 서둘렀다. 그저 모든 것을 빨리 하려고만 드는 사람이었다. 그것을 깨닫자 그는 얼른 의식적인 호흡으로 되돌아가서 이렇게 말했다. "안녕하세요, 엄마. 거기 계신 거 잘 알아요." 그러자 그 습관적 에너지가 사라졌다. 그는 그의 습관적 에너지를 자각하고 의식적으로 감싸안았기 때문에 이내 변화시킬 수 있었던 것이다. 그는 수련원을 나서기 전의 평화와 안정을 회복했다.

우리도 누구나 그처럼 평화와 안정을 되찾을 수 있다. 습관적 에너지가 고개를 들 때마다 그것을 확인해서 이름을 불러주면 된다. 의식적으로 호흡을 하고, 숨을 들이쉴 때 그 감정들의 이름을 불러주고, 숨을 내쉴 때 미소를 지어준다. 그렇게 하면 어떤 습관적 에너지도 더 이상 우리를 지배하지 못한다. 우리는 안전하고, 자신을 자유롭게 할 수 있다.

anger—— 39

인생에서 '관계' 보다 중요한 건 없다

살아가면서 우리는 이따금 매우 어려운 결정을 내려야 할 때가 있다. 더러는 매우 고통스러운 선택을 해야 할 때도 있다. 그러나 우리에게 가장 중요한 것이 무엇인지를 안다면, 우리가 우리의 삶에서 진정으로 원하는 것이 무엇인지를 안다면, 판단을 내리기가 훨씬 쉬워질 것이고, 그 판단 때문에 심한 고통을 받지 않을 수 있다.

어떤 사람이 승려가 되고자 한다면, 그것은 쉽게 결정할 수 있는 문제가 아니다. 승려가 되고자 하는 뜻이 백 퍼센트에서 조금이라도 모자라면 승려가 되지 말아야 한다. 백 퍼센트로도 모자라고, 그 이상이어야 한다. 승려로서 인생을 사는 것 이외에는 아무것도 바라는 것이 없을 때는 그 결정을 내리기가 훨씬 쉬울 것이다.

나는 베트남 불교의 역사에 관한 책을 세 권 썼다. 세 권 모두가 독자들로부터 호응을 받았다. 나는 네 번째 책을 쓰려고 지금 준비하고 있다. 그 책에서 나는 1964년부터 현재에 이르기까지 베트남 불교의 역사를 서술하려고 한다. 그 책을 쓰려고 하는 나의 계획은 스스로도 매우 흥분되는 일이다. 나는 그 시절을 직접 살았고, 직접 경험했다. 그 계획은 내게 의무와도 같은 것이다. 그 시절을 직접 경험한 사람으로서 그 시절 베트남 불교의 역사를 쓸 수 있는 사람은 매우 드물기 때문이다. 내가 그것을 기록하지 않으면 역사에 대해서도 부당한 짓을 저지르는 셈이 된다. 그 책은 불교의 발전 과정과 현재에 관해서 더 많이 알고자 하는 사람들에게 도움을 줄 수 있을 것이다.

내 안에는 역사가가 들어 있다. 내가 역사가의 역할을 다할 때 나는 커다란 기쁨을 느낄 것이다. 새로운 사실을 발견해서 사람들에게 알려주고, 젊은 세대에게는 삶의 지향할 바를 제시한다는 것은 참으로 기쁜 일이 아닐 수 없다. 그들은 과거 세대의 실패와 성공으로부터 많은 것을 배울 수 있을 것이다. 그러므로 네 번째 책을 쓰고자 하는 나의 열망은 매우 강렬하다. 그러나 나는 아직 그 책을 쓰지 못했다. 더 시급한 일이 너무도 많기 때문이다. 지금 나의 주위에서 고통받고 있는 사람들을 돕는 것이 나에게는 더 시급한 일이다. 나는 역사가가 될 여유가 없다. 그 책이 참으로 중요하다는 것을 잘 알지만 쓸 시간이 없다. 필요한 자료는 모두 수집해놨지만, 그 책을 다 쓰려면 1년은 걸릴 것이다. 그리고 그 1년 동안 나는 수행도 법회도 상담도 할 수 없을 것이다.

우리는 삶에서 해야 할 일이 너무도 많다. 그러므로 무엇이 우리에게 가장 중요한 일인지를 결정해야 한다. 대학 학위를 얻으려면 6년이나 8년이 걸린다. 참으로 긴 시간이다. 행복하게 살기 위해서는 학위를 얻지 않으면 안 된다는 믿음이 긴 시간을 투자하게 한다. 학위가 행복의 우선조건일 수도 있다. 그러나 삶의 행복과 안녕을 위해서 그것보다 더 중요한 것들이 있을 수도 있다. 아버지나 어머니나 배우자와의 관계를 개선시키는 것이 그것일 수도 있다. 그런데 거기에 시간을 얼마나 들이는지? 관계를 개선시키기 위해서 필요한 시간을 우리는 충분히 들이는지? 사랑하는 사람들과의 관계를 개선하고 유지하는 것은 우리 모두에게 매우 중요한 일이 아닐 수 없다. 학위를 얻는 데는 누구나 6년이나 8년이란 시간을 기꺼이 들인다. 그런데 어찌해서 관계를 개선하고 유지하는 데는 시간을 들이지 않는가? 화를 다스리는 데는? 우리가 그러한 일들에 투자하는 시간은 나에게도 남에게도 행복을 가져다 줄 것이다.

최근에 미국의 대학교수 한 사람이 플럼빌리지에 왔다. 그는 나에 관한 책을 쓰려고 했다. 그가 그 애기를 꺼내자마자 나는 그에게 말했다. "당신 자신에 관한 책을 써보세요. 먼저 당신과 당신 주위의 사람들을 행복하게 하는 일에 당신의 백 퍼센트를 던져보세요. 그것이 나에 관한 책을 쓰는 것보다 훨씬 중요한 일입니다. 나에 관한 책 같은 것은 없어도 그만입니다. 그러나 당신이 당신 자신에 관한 책을 쓰는 것은 중요한 일입니다. 전심을 다해서 당신 자신에 관한 책을 써보세요. 그러면 당신이 수많은 사람들에게 수련의 지침이 될 수 있고, 당신은 자유롭고 행복한 사람이 될 수 있습니다. 그리고 당신 주위에 있는 수많은 사람들도 행복하게 해줄 수 있습니다."

나에게 가장 중요한 일은 나의 수련생들과의 관계를 잘 유지하는 것이다. 나는 그들이 제대로 수련을 해서 변모될 수 있도록 도와야 한다. 그것은 매우 소중하고 값진 일이 아닐 수 없다. 수련자가 자신의 고통을 잘 처리해서 남들과의 좋은 관계를 이루는 것은 커다란 승리를 거두는 것이나 마찬가지다. 그것은 그를 위한 승리만이 아니라 함께 수련하는 모든 이들을 위한 승리이고, 우리의 수련을 위한 승리이다. 그것은 우리 모두를 위해서 매우 값진 것이다. 우리는 다시는 서로 보지 않겠다고 다짐했던 모녀를 화해에 이르게 해주었던 플럼빌리지의 한 자매를 기억하고 있을 것이다. 그것은 참다운 승리였다. 그 승리를 통해서 그녀는 수련에 대한 자신의 믿음을 확고히 했을 뿐만이 아니라 우리 모두의 믿음까지도 증진시켜주었다.

우리가 어떤 사람과의 사이에 어려움을 갖고 있고, 그 사람은 나에게 고통을 주려 한다고 생각할 때, 우리는 그 사람을 위해서 아무것도 할 수 없다. 그것은 우리가 수련을 통해서 배운 것을 실천하지 않는 것이 된다. 그 사람과는 전혀 대화를 할 수 없다고 여겨지면, 그것은 수련을 제대로 하지 않았기 때문이다. 대화를 못할 이유가 없다. “그가 협력을 하지 않는데, 내 말을 전혀 들어주지 않는데, 어떻게 대화를 할 수 있지?”라고 말하는 사람들이 많다. 그러나 상대방이 나의 말을 듣지 않고 나에게 말을 하지 않을 때는, 수련을 계속하여 우리 자신을 변화시키면 오래지 않아서 그 사람과 화해를 이룰 수 있을 것이다.

자기 자신에 관한 책을 쓰는 것은 고통의 뿌리를 깊이 들여다보고 그것을 변화시키기 위한 길이 된다. 그 책은 우리를 자유롭고 행복한 사람이 되게 해줄 것이고, 우리 주위에 있는 사람들에게도 행복을 줄 것이다.

anger—— 40

편지는 끊어진 관계를 이어준다

사랑으로 말을 하고 남의 말에 귀를 기울이는 훈련을 하면 우리는 타인과의 갈등을 직접 대화를 함으로써 풀어낼 수 있다. 그러나 아직은 대화를 차분하게 할 수 있을 만큼 마음이 평화롭지 못하고 안정되지 못했다고 생각될 때는 편지를 쓰는 것이 대화를 여는 좋은 방법이 될 수 있다. 편지를 쓰는 것 자체가 매우 의미 있는 수련이 된다. 마음속에 선의만이 있다고 하더라도, 수련이 제대로 되지 않았을 때는 대화 도중에 짜증을 낼 수 있고 미숙하게 반응할 수 있다. 그러면 화해의 기회를 잃어버릴 수 있다. 그럴 때는 편지를 쓰는 것이 훨씬 안전하고 쉬운 방법이 된다.

편지를 쓸 때는 철저히 솔직해져야 한다. 그 사람이 나에게 상처를 주는 말이나 행동을 했다고 생각되면, 그 말이나 행동이 구체적으로 무엇이었는지를 다 말해야 한다. 또 자신의 마음속에 쌓인 것을 다 털어놓을 수도 있다. 마음을 차분하게 가라앉힌 채로 사랑과 평화의 말로 편지를 쓰는 것이 무엇보다 중요하다. 그렇게 대화의 길을 열어야 한다. "사랑하는 친구에게. 난 어쩌면 그릇된 판단 때문에 마음이 아팠던 것인지도 몰라. 지금 내가 이 편지에 쓰는 것도 실은 사실이 아닐지도 몰라. 그렇지만 그때는 그렇게 생각하지 않을 수 없었어. 그래서 마음이 너무도 아팠어. 내가 지금 이 편지에서 하는 말이 나의 오해에서 나온 것이라면, 서로 만나서 대화를 했으면 좋겠어. 그래서 우리 사이의 오해를 말끔히 씻어버렸으면 좋겠어."

불교에서는 어떤 사람이 마음의 지침을 구해오면 남녀 승려들이 모여서 위의 편지와 같은 말로 그에게 조언을 한다. 그들은 여럿이 함께 깨달은 바를 그에게 말해준다. 그렇다고 여럿이 함께 깨달은 것이 반드시 옳다는 것은 아니다. 다만 그것이 그 사람에게 줄 수 있는 최선의 조언이라고 생각할 뿐이다. 그들은 "우리가 제대로 이해하지 못한 것도 얼마든지 있다. 당신에게는 우리가 미처 보지 못한 좋은 점이 있을 것이다. 우리가 판단한 것이 다 옳다고 생각하는 것은 결코 아니다."라고 말한다. 어떤 사람과 대화를 통해 화해를 하기 위해서 편지를 쓸 때도 그 같은 태도여야 한다. "내가 잘못 판단한 게 있으면 네가 고쳐줘."라는 식으로 말을 해야 한다,

그 사람도 고통을 당하고 있다는 사실을 충분히 이해한다는 것을 분명하게 보여주어야 한다. "친구여, 너도 고통을 당하고 있다는

걸 잘 알아. 자네가 고통을 당하는 것은 자네의 잘못 때문만은 아니라는 것도 잘 알아." 깊이 성찰하는 수련을 한 사람은 상대방의 고통의 뿌리와 원인이 무수히 많다는 사실을 알 수 있을 것이다. 그것을 모두 그에게 말해주어야 한다. 또 나도 고통을 당하고 있다는 것을 그에게 말해주어야 하고, 나에게 고통을 주었던 그 사람의 말이나 행동을 충분히 이해하고 있다는 것을 보여주어야 한다.

편지를 쓰는 데는 충분히 시간을 들여야 한다. 그것은 너무도 중요한 일이기 때문이다. 그것은 베트남 불교의 역사에 관한 나의 네 번째 책보다 훨씬 더 중요하다. 미국인 교수가 틱낫한이라는 사람에 관한 책을 쓰는 것보다 훨씬 더 중요하다. 그 편지는 우리의 행복을 위해서 결정적으로 중요한 것이다. 편지를 쓰는 데 들인 시간은 박사 논문을 쓰는 데 투자한 몇 년의 세월보다 더 소중한 시간이다. 박사 논문은 그 편지만큼 결정적으로 중요한 것이 아니다. 그 편지를 쓰는 것은 난관을 뚫고 대화의 길을 다시 열기 위해서 우리가 할 수 있는 최선의 선택이다.

편지를 혼자서 써야만 하는 것은 아니다. 우리에게 빛을 비춰주고 도움을 줄 형제 자매들이 있다. 우리에게 도움을 줄 사람들이 바로 우리 곁에 있다. 책을 쓸 때 우리는 원고를 친구들이나 전문가들에게 먼저 보여주고 의견을 묻는다. 우리와 함께 수련하는 사람들은 모두가 전문가들이다. 그들은 남의 말에 깊이 귀를 기울이고, 사랑의 말로 대화를 하는 사람들이다. 그러므로 함께 수련하는 형제 자매들에게 그 편지를 보여주어서 혹시 잘못된 곳이 없는지 의견을 물어보는 것이 바람직하다.

그 편지를 쓰는 데 얼마만큼의 시간과 노력과 사랑을 들일 것인가? 그리고 그처럼 소중한 노력을 누가 기꺼이 돕지 않을 것인가? 우리가 깊이 염려하고 사랑하는 사람과 대화의 문을 다시 여는 것보다 더 중요한 일은 없다. 그 사람이 아버지나 어머니나 자식이나 배우자라면 더욱 그러할 것이다. 그 사람은 지금 바로 나의 곁에 있는 사람일 수도 있다.

앉아 있거나 걷거나 일을 할 때 우리는 그 편지에 대해서 생각하지 않는다. 그러나 우리가 하는 모든 일은 그 편지와 관련된다. 책상에 앉아서 편지를 쓰는 데 걸리는 시간은 우리의 감정을 종이에 옮겨 적는 데 걸리는 시간일 뿐이다. 그러나 우리가 편지를 쓰는 순간은 그때만이 아니다. 밭에서 채소에 물을 주고, 걸으면서 명상을 하고, 주방에서 요리를 할 때, 우리는 이미 그 편지를 쓴다. 그러한 활동은 모두가 우리를 더욱더 견고하고 평화롭게 해준다. 그럴 때 발생하는 자각과 집중이 우리의 마음속에 있는 이해와 연민의 씨앗에 물을 뿌려주는 것이다.

anger—— 41

처음 만났을 때의 다짐을 잊지 마라

처음 관계를 시작했을 때 우리는 누구나 서로를 늘 보살필 것이라고 다짐을 했다. 그러나 지금은 서로가 너무도 멀어져 있다. 서로를 더이상 보고 싶어하지도 않는다. 손을 맞잡고 걷지도 않고, 그래서 서로가 고통스럽다. 관계를 시작할 때는 서로가 천국에서 사는 것 같은 기분이었다. 서로 깊이 사랑했고, 더없이 행복했다. 이제는 서로를 전혀 사랑하지 않는 것 같고, 서로를 버린 것 같다. 서로가 또 다른 사람을 찾고 있는 것도 같다. 천국이 지옥으로 변했고, 그 지옥에서 벗어날 수가 없다.

그 지옥은 도대체 어디에서 왔는가? 우리의 등을 떠밀어서 지옥으로 몰아넣고 가둔 사람이 있었던가? 아니다. 그 지옥은 우리의 마음이 만들어낸 것이다. 우리의 관념과 그릇된 판단이 만들어낸 것이다. 그러므로 그 지옥을 깨뜨려서 우리를 자유롭게 할 수 있는 것은 바로 우리의 마음뿐이다.

자각을 실천하는 것, 화를 자각하고 감싸안는 것이 그 지옥의 문을 여는 길이다. 그래서 나를 구원하고 상대방을 구원하고, 평화의 땅으로 되돌아가는 길이다. 그것은 언제든지 할 수 있는 일이고, 그것을 할 수 있는 사람은 바로 우리 자신이다. 물론 평소에 수련을 하는 친구들의 도움을 받을 수도 있을 것이다.

관계를 회복해서 두 사람이 모두 다시 행복해질 수 있으면 그것은 세상에 크게 기여를 하는 셈이 된다. 그 승리의 기쁨을 모든 사람이 누리게 된다. 수많은 사람들이 우리의 수련에 대한 믿음을 얻을 것이기 때문이다. 우리는 우리가 처해 있던 지옥을 바꾸어서 정토로 되돌아갈 수 있다. 하루하루의 삶에서 평화를 되찾을 수 있다. 우리는 이것을 지금 당장 시작할 수 있다. 오늘 그 편지를 쓰기 시작할 수 있다. 단지 펜 한 자루와 종이 한 장만으로 모든 것을 다 바꿀 수 있다.

❋

15년 전 내가 미국에 머물고 있을 때 불교학자인 한 미국 여성이 나를 찾아왔다. 그녀가 말했다. "스님, 스님은 참으로 아름다운 시를 많이 쓰셨더군요. 그리고 채소를 기르거나 하는 일에도 시간을 많이 쓰신다고 들었어요. 그 시간에 시를 쓰시면 더 좋을 텐데요?"

그녀는 내가 채소를 키우는 것을 즐겨 한다는 기사를 어디선가

읽은 모양이었다. 그녀는 지극히 실리적인 관점에서 나에게 밭에서 일을 하느라고 시간을 허비하지 말고 부지런히 시를 쓰라고 권고했던 것이다.

내가 대답했다. "채소를 기르지 않았더라면 나는 시를 쓰지 못했을 겁니다." 이것은 진실이다. 집중과 자각 속에서 살지 않으면, 삶의 모든 순간을 깊게 살지 않으면, 우리는 글을 쓸 수 없다. 남에게 보여 줄 만한 가치가 있는 글을 써낼 수가 없다.

시는 우리가 타인들에게 선사하는 꽃이다. 그와 마찬가지로 애정 어린 표정, 미소, 자애가 가득한 행동 또한 자각과 집중이라는 나무에서 피어나는 꽃이다. 가령, 가족을 위해서 요리를 할 때 우리는 시에 대해서 생각하지 않는다. 그러나 시는 이미 그때부터 쓰여지고 있다. 내가 한 편의 소설이나 희곡을 완성하려면 몇 주일이 걸릴 것이다. 그러나 그 소설이나 희곡은 늘 나의 의식 속에 들어 있었다. 그와 마찬가지로, 우리가 사랑하는 사람에게 보낼 그 편지에 대해서 굳이 생각하고 있지 않을 때에도 그 편지는 이미 우리 의식의 깊은 곳에서 자연히 쓰여지고 있다.

아무때나 무턱대고 자리에 앉는다고 글을 쓸 수 있는 게 아니다. 글을 쓰기 위한 준비를 해야 한다. 우리는 날마다 차를 마시고, 아침식사를 준비하고, 빨래를 하고, 채소에 물을 준다. 그러한 것들을 하는 데 들인 시간이 매우 중요하다. 우리는 그러한 일상의 일들을 매우 정성껏 해야 한다. 요리를 하고 채소밭에 물을 주고 설거지를 하는 자신의 태도에 마음의 백 퍼센트를 던져야 한다. 항상 모든 일을 즐거운 마음으로 해야 하고, 성심을 다해서 해야 한다. 그러한 자세가 우리가 쓰고자 하는 문학작품이나 편지를 위해서, 혹은 우리가 이루고자 하는 모든 것을 위해서 매우 중요하다.

깨달음은 설거지를 하거나 채소를 기르는 일과 별개의 것이 아니다. 삶의 모든 순간을 깊이 자각하고 집중하며 살아가는 방법을 익히는 것은 곧 깨달음을 얻기 위한 수련이다. 한 편의 예술 작품은 바로 그러한 순간순간에서 착상된다. 악보나 시를 직접 종이에 쓰기 시작할 때는 고작 아기를 분만하기 시작한 순간일 뿐이다. 그 아기는 이미 오래 전부터 우리의 몸 속에서 분만의 순간을 기다리고 있었다.

그러나 그 아기가 우리의 몸 안에 있지 않았다면, 결국엔 분만할 것이 아무것도 없다는 뜻이 된다. 그럴 때 우리는 어떤 글도 쓸 수가 없다. 타인들의 마음에 감동을 일으킬 만한 글을 쓰기 위한 우리의 통찰과 애정과 능력은 수련이라는 나무에서 피어나는 꽃이다. 그러므로 그 꽃이 피어나게 하기 위해서 우리는 삶의 모든 순간을 최선을 다해서 살아가야 한다.

❋

아기를 임신한 어머니는 뱃속의 아기를 생각할 때마다 더없이 행복하다. 아직 태어나지 않았지만 아기는 어머니에게 지극한 기쁨을 준다. 아기가 뱃속에 있다는 사실을 어머니는 단 한 순간도 잊지 않으며, 그래서 모든 것을 사랑으로 행한다. 사랑으로 먹고 사랑으로 마신다. 어머니의 사랑이 없으면 아기가 건강할 수 없다는 것을 잘 알기 때문이다. 어머니는 늘 매사를 조심한다. 자기가 실수를 하면, 담배를 피우거나 술을 많이 마시면, 아기에게 몹시 해롭다는 것을 어머니는 항상 잊지 않는다. 그래서 어머니는 늘 자신의 행동을 자각하고, 늘 사랑의 마음으로 산다.

수련자들도 그 어머니처럼 행동해야 한다. 우리는 누구나 인류와 세계를 위해서 무엇인가를 만들어서 내놓고자 한다. 우리는 누구나 우리 안에 한 명의 아기를 갖고 있다. 그 아기가 바로 부처다. 우리가 인류와 세계를 위해서 제시할 수 있는 것이 바로 그 아기 부처다. 그리고 우리의 아기 부처를 잘 보살피기 위해서 우리는 늘 자각 속에서 살아야 한다.

우리 안에 있는 부처의 에너지가 우리로 하여금 참다운 사랑의 편지를 쓰게 해주고 타인과 화해에 이르게 해준다. 참다운 사랑의 편지는 통찰과 이해와 연민으로 쓰여진 편지다. 그렇지 않으면 진정한 사랑의 편지가 아니다.

참다운 사랑의 편지는 그것을 받는 사람에게서 변화를 일으키고, 그리하여 세상에도 변화를 일으킬 수 있어야 한다. 그러나 타인에게서 변화를 일으키려면 먼저 나 자신의 내면에서 변화를 일으킬 수 있어야 한다. 그러므로 그 편지를 쓰는 데는 우리의 평생이 걸릴 수도 있다.

부 록

화를 다스리기 위한 4가지 방법

A · 타인과의 관계 개선을 위한 맹세
B · 마음이 너그러워지는 5가지 훈련
C · 화를 다스리기 위한 호흡법
D · 몸의 긴장을 푸는 에너지 만들기

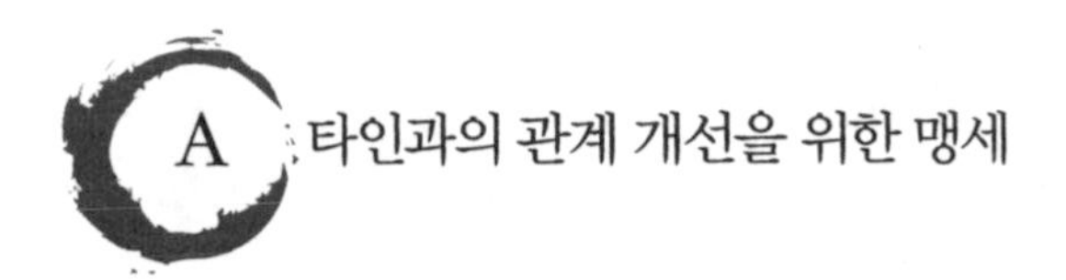

A 타인과의 관계 개선을 위한 맹세

플럼빌리지에서는 수련자들이 다 모인 자리에서 부부와 가족과 친구들이 다음과 같은 조약에 서명을 한다. 그러나 여기서는, 독자들이 누구나 자신이 편한 대로 바꾸어 써도 무방하다. 말미에 불교에 관계되는 언급이 있는데 그것도 자신의 종교나 신념에 맞게 바꾸어 주기 바란다.

평화 조약

오래도록 함께 행복하게 살기 위해서, 사랑과 이해를 지속적으로 개발하고 심화하기 위해서, 우리는 다음과 같은 사항들을 준수하고 실천할 것을 다짐한다.

1. 더이상 상대방을 화나게 하거나 상처를 주는 말, 혹은 그런 행동을 하지 않는다.
2. 내 화를 억누르지 않는다.
3. 의식적인 호흡을 실천하고, 나 자신에게 돌아가서 내 마음의 화를 보살핀다.
4. 차분하게 24시간 이내에, 나를 화나게 한 사람에게 내가 화로 인해 고통받고 있다는 것을 말이나 편지를 통해 얘기한다.
5. 주말, 혹은 금요일 저녁 시간에 만나서 문제를 차근차근 얘기해 보자는 뜻을 말이나 편지로 전한다.
6. "난 화나지 않았어. 난 괜찮아. 나는 고통스럽지 않아. 화낼 일이 뭐가 있어."라고 말하지 않는다.
7. 앉아 있을 때나 걸을 때, 누워 있을 때나 일을 할 때, 운전을 할 때, 순간마다 삶을 깊이 들여다봄으로써, 내가 미숙하게 처신한 적은 없는지, 나의 습관적 에너지 때문에 타인을 해친 적은 없었는지 살핀다. 그리고 내 안에 있는 강렬한 화의 씨앗이 내가 화를 낸 1차 원인이었으며, 타인은 단지 부차적인 원인이었음을 깨닫고, 타인이 고통받고 있는 한 나도 진정으로 행복해질 수 없다는 것을 깨닫기 위해 노력한다.
8. 내가 미숙하고 자각이 없었기 때문에 문제가 발생했다는 것을 깨닫고 나면 금요일 저녁까지 기다리지 말고 즉시 사과한다.

9. 그를 만나서 차분하게 얘기할 준비가 되어 있지 않다고 생각되면 금요일 저녁의 약속을 뒤로 미룬다.

또한, 나는 타인을 화나게 한 사람으로서 다음과 같이 다짐한다.

1. 타인의 감정을 존중한다. 그를 비난하지 않고, 그의 마음을 진정시켜주기 위해서 노력한다.
2. 문제가 생긴 즉시 시비를 따져보자고 그를 조르지 않는다.
3. 그가 만나자고 제의하면 흔쾌히 받아들임으로써 내가 그의 곁에 있다는 사실을 알려준다.
4. 기회가 된다면, 금요일 저녁까지 기다리지 말고 즉시 사과한다.
5. 의식적인 호흡을 실천함으로써 자신을 깊이 들여다보고 다음과 같은 사실을 확인한다. 내가 가진 화의 씨앗과 처신의 미숙함과 습관적 에너지가 그를 불행하게 만들었다. 나는 그에게 고통을 안겨주면 나의 고통이 덜어질 거라고 그릇되게 생각했다. 그에게 고통을 줌으로써 나는 나 자신마저도 고통스럽게 만들었다.
6. 내가 미숙하고 자각이 없었던 것이 문제였다는 사실을 깨달았을 때는 변명을 할 생각도 하지 말고 금요일 저녁까지 기다리지도 말고 즉시 사과한다.

우리는 귀하신 부처님을 증인으로 모셔놓고
우리의 수련을 이끄는 지도자 앞에서
위의 조항들을 준수하고 실천할 것을 다짐한다.
우리는 명석함과 자신감을 갖게 해달라고
불과 법과 승의 삼보에게 호소한다.

서명 ____________________

____

______ 년 _____ 월 _____ 일

장소 ____________________

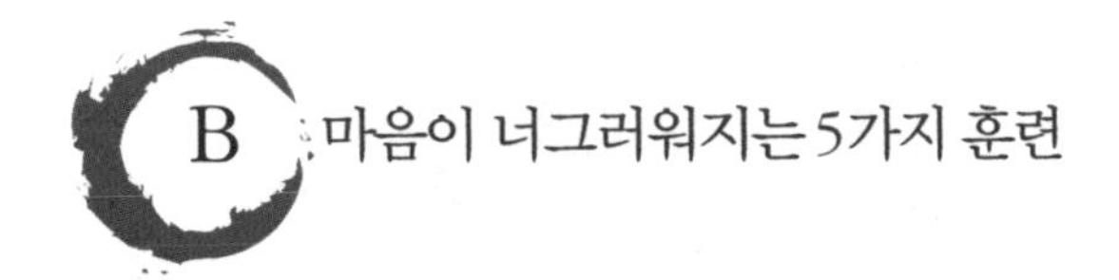

B :마음이 너그러워지는 5가지 훈련

첫 번째 자각 훈련 :: 삶을 존중하기

삶이 붕괴될 때 빚어질 고통을 깨닫고, 나는 인간과 동물과 식물과 광물의 생명을 보호하기 위한 애정을 기르고 그 방법을 배울 것을 다짐한다. 나는 내 손으로 살상을 하지 않을 것이고, 남에게 살상을 시키지도 않을 것이며, 마음은 물론 실제 상황에서도 세상에서 일어나는 그 어떤 살상 행위도 묵과하지 않을 것이다.

두 번째 자각 훈련 :: 너그러움

착취와 사회적 불의와 도적질과 억압으로 인해서 빚어지는 고통을 깨달음으로써 나는 인간과 동물과 식물과 광물의 생명에 대한 자애심을 기를 것이고, 그 안녕을 위해서 헌신할 수 있는 방법을 배울 것이다. 나는 나의 시간과 힘과 재산을 진실로 도움을 필요로 하는 사람들에게 나누어주는 너그러움을 기를 것이다. 나는 도적질을 하지 않을 것이며, 남의 재산을 탐하지 않을 것이다. 나는 남의 재산은 존중할 것이고, 그러나 인간과 다른 생명들의 고통을 통해서 자신의 이득을 취하는 행위를 좌시하지 않을 것이다.

세 번째 자각 훈련 :: 성에 대한 책임

부정한 성관계로 인해서 빚어지는 고통을 깨달음으로써 나는 개인들과 부부들과 가족들과 사회의 안전과 고결에 대한 책임감을 기를 것이고, 그것을 보호하기 위한 방법을 배울 것이라고 다짐한다. 나는 사랑이 없고 장래에 대한 언약이 없는 성관계를 맺지 않을 것이다. 나 자신과 타인들의 행복을 지키기 위해서 나는 나의 각오를 존중하고 타인들의 각오도 존중할 것이다. 나는 어린이들에 대한 성적 학대를 예방하기 위해서, 그리고 부부들과 가족들이 부정한 성관계로 인해서 파괴되는 것을 예방하기 위해서, 내가 할 수 있는 노력을 다할 것이다.

네 번째 자각 훈련 :: 깊게 귀 기울이기와 사랑의 말

건성으로 남의 말을 듣거나 남의 말에 귀를 기울이는 능력이 없는 탓으로 빚어지는 고통을 깨달음으로써, 나는 남들에게 행복을 주고 그들의 고통을 덜어주기 위해서 사랑의 말로 대화를 하고 그들의 말에 깊이 귀를 기울일 것이라고 다짐한다. 우리의 말이 행복을 줄 수

도 고통을 줄 수도 있다는 사실을 잘 알고 있으므로, 나는 자신감과 기쁨과 희망을 불러일으키는 말을 진심으로 하는 방법을 배울 것이다. 나는 내가 확실하게 알지 못하는 사실에 대해서는 남들에게 퍼뜨리지 않을 것이고, 내가 확신하지 못하는 것을 가지고 남을 비난하거나 경멸하는 어조의 말을 하지 않을 것이다. 나는 분열과 불화를 일으키고, 가정과 사회에 해악을 끼칠 말을 삼갈 것이다. 나는 아무리 사소한 갈등이라 하더라도 갈등이 빚어졌을 때는 반드시 화해하고 해소하기 위해서 최선의 노력을 다할 것이다.

다섯 번째 자각 훈련 :: 의식적인 소비

아무 생각 없이 소비하는 데서 빚어지는 고통을 깨달음으로써, 나는 먹고 마시는 등의 모든 소비를 의식적으로 하여 나 자신과 가족과 사회의 정신적 신체적 건강을 증진시킬 것이라고 다짐한다. 나는 나의 몸과 마음, 나의 가족과 사회의 평화와 안녕과 기쁨을 보존해줄 음식만을 먹을 것이다. 나는 술을 비롯해서 정신을 혼미하게 하는 모든 것을 용납하지 않을 것이며, 독소가 들어 있는 TV 프로그램, 잡지, 책, 영화 같은 것을 보지 않을 것이다. 나는 그 같은 독소로 나의 몸과 마음에 해악을 끼치는 것은 조상과 부모와 사회와 후손을 배신하는 행위임을 깨달을 것이다. 나는 적절한 식생활이 나 자신과 사회의 변화를 위해 결정적으로 중요하다는 사실을 잊지 않는다.

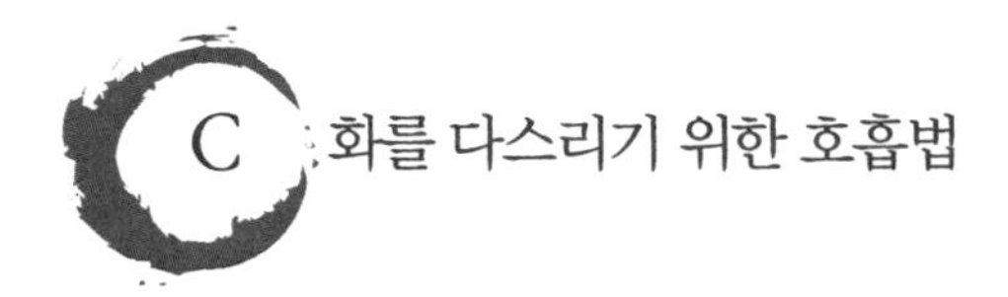

C 화를 다스리기 위한 호흡법

이 명상 지침은 화를 다스리기 위한 가르침을 실천하는 데 크게 도움이 될 것이다. 지침에 따라서 조용한 장소에서 혼자 명상에 잠길 수도 있을 것이고, 다른 사람을 초청해서 그 사람이 읽어주는 대로 따라서 해도 좋다.

우선 호흡을 자각하는 것부터 시작하자. 들숨과 날숨을 낱낱이 자각하고, 숨을 들이쉴 때는 "안으로", 내쉴 때는 "밖으로"라고 말하자. 마음을 진정시키기 위해서는 늘 의식을 자각하는 것부터 시작해야 한다. 숨을 들이쉬고 내쉴 때마다 "안으로"와 "밖으로"라고 말을 하면 명상의 의미를 진정으로 감지하게 된다. 기계적으로 해서는 안 된다. 숨이 들어오고 나가는 것을 구체적으로 느끼면서 그 말을 해야 한다. 그렇게 여덟 번에서 열 번쯤 호흡을 하자.

화를 깊이 들여다보기

1. 화가 난 사람을 깊이 생각하면서,

숨을 들이쉰다. 화가 난 사람

그 사람의 고통을 눈으로 보면서,

숨을 내쉰다. 그의 고통

2. 화로 인해

나와 타인이 입은 상처를 생각하면서,

숨을 들이쉰다. 화는 나와 타인에게 상처를 준다.

행복을 파괴하는 화를 생각하면서,

숨을 내쉰다. 화는 행복을 파괴한다.

3. 내 몸 안의 화의 뿌리를 보면서,

숨을 들이쉰다. 내 몸 안에 있는 고통의 뿌리

내 마음속의 화의 뿌리를 보면서,

숨을 내쉰다. 내 마음속의 고통의 뿌리

4. 그릇된 판단과 무지에 들어 있는
고통의 뿌리를 보면서,
숨을 들이쉰다.

그릇된 판단과 무지에 들어 있는
고통의 뿌리

그릇된 판단과 무지에게
미소를 지어주면서,
숨을 내쉰다.

미소 짓기

5. 화가 난 사람의 고통을
지그시 바라보면서,
숨을 들이쉰다.

화가 난 사람의 고통

화로 고통당하는 사람에게
연민을 느끼면서,
숨을 내쉰다.

연민을 느끼기

6. 화가 난 사람의
딱한 처지와 불행을 보면서,
숨을 들이쉰다.

화가 난 사람

그 불행의 원인을 이해하면서,
숨을 내쉰다. 불행을 이해하기

7. 화의 불길에 휩싸인
나를 바라보면서,
숨을 들이쉰다. 화의 불길에 휩싸이다.

화의 불길에 휩싸인
자신을 연민하면서,
숨을 내쉰다. 자신에 대한 연민

8. 화는 나를 추하게
만든다는 것을 깨달으면서,
숨을 들이쉰다. 화는 나를 추하게 한다.

내 모습이 추하게 된 것은 순전히
나 때문이라는 것을 깨달으면서,
숨을 내쉰다. 나는 스스로를 추하게 만든다.

9. 화가 났을 때
나는 집에 불을 지르는 것과
같다는 것을 깨달으면서,
숨을 들이쉰다. 나는 집에 불을 지르고 있다.

화를 보살피고
자신에게로 되돌아가면서,
숨을 내쉰다. 나 자신을 보살피기

10. 화가 난 사람을
돕는다고 생각하면서,
숨을 들이쉰다. 화가 난 사람을 돕기

내게는 화가 난 사람을
도울 능력이 있다는 것을
깨달으면서,
숨을 내쉰다. 나는 그를 도울 수 있다.

부모님에 대한 화를 씻고 관계를 되돌리기

1. 나를 다섯 살짜리 아이라고 여기며,
   숨을 들이쉰다. 나는 다섯 살짜리 아이

   그 다섯 살짜리 아이에게
   미소를 지어주면서,
   숨을 내쉰다. 미소 짓기

2. 다섯 살짜리 아이는 매우
   연약하다는 사실을 상기하면서,
   숨을 들이쉰다. 다섯 살짜리 아이는 연약하다.

   내 안에 있는 다섯 살짜리 아이에게
   사랑의 미소를 지어주면서,
   숨을 내쉰다. 사랑의 미소

3. 내 아버지를 다섯 살짜리
   아이라고 생각하면서,
   숨을 들이쉰다. 아버지는 다섯 살짜리 아이

다섯 살짜리 아이인 아버지에게
미소를 지어주면서,
숨을 내쉰다. 미소 짓기

4. 다섯 살짜리 아이인 아버지는
매우 연약하다고 생각하면서,
숨을 들이쉰다. 아버지는 연약하다.

아버지에게 사랑과
이해의 미소를 지어주면서,
숨을 내쉰다. 사랑과 이해로 미소 짓기

5. 어머니를 다섯 살짜리
소녀라고 생각하면서,
숨을 들이쉰다. 어머니는 다섯 살짜리 아이

다섯 살짜리 소녀인 어머니에게
미소를 지어주면서,
숨을 내쉰다. 미소 짓기

6. 다섯 살짜리 소녀인 어머니는
매우 연약하다고 생각하면서,
숨을 들이쉰다. 어머니는 연약하다.

어머니에게 사랑과 이해의
미소를 지어주면서,
숨을 내쉰다. 사랑과 이해로 미소 짓기

7. 아이인 아버지가 받는
고통을 생각하면서,
숨을 들이쉰다. 아버지는 고통받는 아이

아이인 어머니가 받는
고통을 생각하면서,
숨을 내쉰다. 어머니는 고통받는 아이

8. 내 안에 있는
아버지를 보면서,
숨을 들이쉰다. 내 안에 있는 아버지

내 안에 있는 아버지에게
미소를 지어주면서,
숨을 내쉰다. 미소 짓기

9. 내 안에 있는
어머니를 보면서,
숨을 들이쉰다. 내 안에 있는 어머니

내 안에 있는 어머니에게
미소를 지어주면서,
숨을 내쉰다. 미소 짓기

10. 내 안에 있는 아버지가 당하는
어려움들을 생각하면서, 내 안에 있는 아버지가
숨을 들이쉰다. 당하는 어려움

아버지와 나 모두를
해방시키기 위해서
노력할 것을 다짐하면서,
숨을 내쉰다. 아버지와 나를 해방시키기

11. 내 안에 있는 어머니가 당하는

어려움들을 생각하면서,
숨을 들이쉰다.

내 안에 있는 어머니가
당하는 어려움

어머니와 나 모두를
해방시키기 위해서
노력할 것을 다짐하면서,
숨을 내쉰다.

어머니와 나를 해방시키기

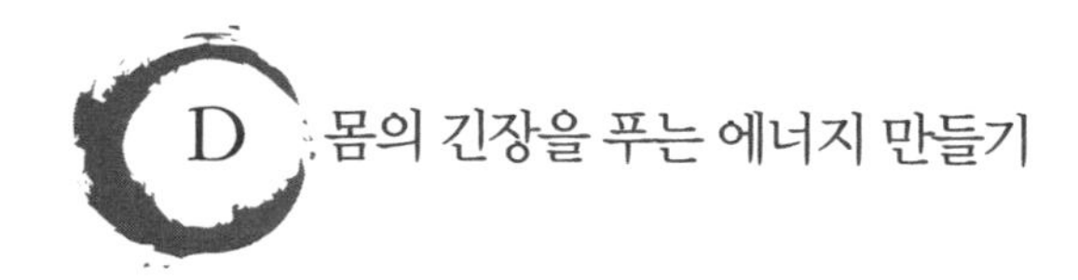

D : 몸의 긴장을 푸는 에너지 만들기

긴장을 풀어주기 위한 수련

이 부록은 우리 자신과 타인들의 긴장을 깊이 이완시켜주는 지침이다. 몸을 편안하게 해주는 것은 매우 중요한 일이다. 몸의 긴장이 풀려 편안해지면 마음도 평화로워질 것이다. 긴장을 깊이 풀어내기 위한 이 수련은 우리의 몸과 마음을 치유하는 데도 효과가 매우 크다. 시간을 자주 내어서 수련하기 바란다. 아래에 적은 대로 수련을 한번 하자면 30분쯤 걸리겠지만, 형편에 따라서 시간을 조절해도 좋다. 아침에 일어났을 때나 몹시 바쁜 낮에나 잠자리에 들기 전에 5분이나 10분 정도만 수련을 해도 좋을 것이다. 그리고 갈수록 시간을 길게 하면 수련의 깊이가 생길 것이다. 무엇보다도 중요한 것은 수련을 즐기는 태도다.

‖ 온몸을 자각하기

먼저, 방바닥이나 침대 위에 등을 맞대고 편안하게 눕는다. 두 눈을 지그시 감는다. 두 팔을 몸의 양 옆에 편안하게 놓고, 다리도 조금 벌려서 편안하게 놓는다.

숨을 들이쉬고 내쉴 때마다 지금 누워 있는 자신의 몸 전체를 자각해본다. 바닥이나 침대에 닿아 있는 부분들을, 발꿈치와 다리 안쪽과 엉덩이와 등을 자각해본다. 숨을 내쉴 때마다 몸이 아래로 깊숙이 가라앉아 가고 있으며, 긴장과 근심걱정이 사라지고 아무것도 남아 있지 않다고 생각한다.

숨을 들이쉴 때는 배가 솟아오르는 것을 자각하고, 숨을 내쉴 때는 다시 꺼지는 것을 자각한다. 그렇게 몇 번 배가 솟아올랐다가 꺼지는 것을 의식해본다.

‖ 두 발을 자각하기

그런 다음에, 숨을 들이쉬면서 두 발을 자각해본다. 숨을 내쉬면서 두 발을 편안하게 한다. 숨을 들이쉬면서 두 발에게 사랑을 보내고, 숨을 내쉬면서 두 발에게 미소를 지어준다. 숨을 들이쉬고 내쉬면서, 나에게 두 발이 있다는 것이 얼마나 놀라운 사실인지를 생각한다. 걷게 해주고, 달리게 해주고, 스포츠를 하게 해주고, 춤을 추게 해주고, 운전을 하게 해준 두 발이 얼마나 소중한지를 생각한다. 내가 필요로 할 때마다 나를 위해서 거기에 있어주었던 두 발에게 감사의 마음을 보낸다.

‖ 두 다리를 자각하기

숨을 들이쉬면서 두 다리를 자각한다. 숨을 내쉬면서 두 다리의 모든 세포들을 편안하게 해준다. 숨을 들이쉬면서 두 다리에게 미소를 지어주고, 숨을 내쉬면서 두 다리에게 사랑을 보낸다. 지금 나의 두 다리가 그만큼이나마 힘이 있고 건강하다는 사실을 고맙게 생각한다. 숨을 들이쉬고 내쉬면서 두 다리에게 관심과 배려를 보낸다. 두 다리를 편안하게 해주고, 바닥에 천천히 가라앉게 해준다. 두 다리에 긴장이 남아 있다면 완전히 풀어준다.

‖ 두 손을 자각하기

숨을 들이쉬면서 바닥에 놓여 있는 두 손을 자각한다. 숨을 내쉬면서 두 손의 근육에서 완전히 힘을 뺀다. 숨을 들이쉬면서 나에게 두 손이 있다는 것이 얼마나 놀라운 사실인지를 생각한다. 숨을 내쉬면서 두 손에게 사랑의 미소를 지어준다. 숨을 들이쉬고 내쉬면서 두 손 덕분에 내가 할 수 있는 모든 것들을 생각해본다. 요리를 하고, 글을 쓰고, 운전을 하고, 타인의 손을 잡고, 아기를 안고, 몸을 깨끗히 씻고, 그림을 그리고, 악기를 연주하고, 타자를 치고, 고장난 물건을 고치고,

귀여운 동물을 쓰다듬고, 찻잔을 드는 등, 수많은 일들을 떠오르는 대로 생각해본다. 두 손이 있는 덕분에 할 수 있었던 일들이 너무도 많다. 나에게 두 손이 있다는 사실을 고맙게 여기고 그 손의 모든 세포들을 편안히 쉬게 한다.

‖ 두 팔을 자각하기

숨을 들이쉬면서 두 팔을 자각해본다. 숨을 내쉬면서 두 팔의 긴장을 완전히 몰아낸다. 숨을 들이쉬면서 두 팔에게 사랑을 보내고 숨을 내쉬면서 두 팔에게 미소를 지어준다. 두 팔에 지금 그만큼이나마 힘이 있고 건강하다는 사실을 고맙게 생각한다. 타인을 안고, 그네를 타고, 청소하고, 잔디를 깎는 등, 수많은 일을 할 수 있게 해주었던 두 팔에게 감사의 마음을 보낸다.

숨을 들이쉬고 내쉬면서 바닥에 놓인 두 팔이 완전히 편안해지게 해준다. 숨을 내쉴 때마다 두 팔에서 긴장이 풀리는 것을 느껴본다. 자각으로써 두 팔을 감싸안은 채 두 팔의 모든 부위에서 느껴지는 기쁨과 편안함을 음미한다.

‖ 두 어깨를 자각하기

숨을 들이쉬면서 두 어깨를 자각해본다. 숨을 내쉬면서 두 어깨의 긴장이 완전히 빠져나가도록 한다. 숨을 들이쉬면서 두 어깨에게 사랑을 보내고, 숨을 내쉬면서 두 어깨에게 감사의 미소를 지어준다. 숨을 들이쉬고 내쉬면서 평소에 내가 두 어깨에 긴장과 스트레스를 주었던지 생각해본다. 숨을 내쉴 때마다 그 긴장이 어깨에서 빠져나가게 하고, 갈수록 편안해지게 한다. 두 어깨에게 관심과 배려를 보내주고, 내가 평소에 극심한 부담을 주고 싶어서 주었던 게 아니란 것을 두 어깨가 알게 해준다. 그리고 이제부터는 되도록 두 어깨를 편안하게 해주도록 노력하면서 살아가고 싶다는 심정도 전해준다.

‖ 심장을 자각하기

숨을 들이쉬면서 심장을 자각해본다. 숨을 내쉬면서 심장을 편안하게 해준다. 숨을 들이쉬면서 심장에게 사랑을 보낸다. 숨을 내쉬면서 심장에게 미소를 지어준다. 숨을 들이쉬고 내쉬면서, 나의 가슴속에서 지금 이 순간에도 심장이 박동을 하고 있다는 것이 얼마나 놀라운 사실인지를 실감해본다. 나의 심장은 늘 나의 생명을 유지해주었고, 언제나 나를 위해서 그 자리에 있어주었다. 심장은 잠시도 쉬는 법이 없다. 심장은 내가 어머니의 뱃속에서 4주째 되는 날부터 박동을 계속해왔다. 심장은 나에게 삶의 모든 일을 추진할 수 있는 원동력을 주는 놀라운 기관이다. 숨을 깊게 들이쉬면 심장도 나를 사랑한다는 것을 느낄 수 있을 것이다. 숨을 내쉬면서 심장이 늘 기능을 제대로 할 수 있게 하는 삶을 살아가리라고 다짐한다. 숨을 내쉴 때마다 심장이 더욱더 편안해지는 것을 느껴본다. 심장의 모든 세포들이 편안함과 기쁨으로 미소짓게 해준다.

‖ 위와 장을 자각하기

숨을 들이쉬면서 위와 장을 자각해본다. 숨을 내쉬면서 위와 장을 편안하게 해준다. 숨을 들이쉬면서 위와 장에게 사랑과 감사의 마음을 보낸다. 숨을 내쉬면서 위와 장에게 따뜻한 미소를 지어준다. 숨을 들이쉬면서 위와 장이 나의 건강을 위해서 얼마나 중요한 기관인지를 생각한다. 위와 장이 편히 쉴 시간을 준다. 나의 위와 장은 날마다 내가 먹는 음식을 소화하고 분해해서 나에게 힘을 준다. 숨을 들이쉬면서 위와 장의 긴장이 풀려 편안해지는 것을 느껴본다. 숨을 내쉬면서 위와 장이 지금 내 안에 있다는 사실을 기쁘게 생각한다.

‖ 두 눈을 자각하기

숨을 들이쉬면서 두 눈을 자각해본다. 숨을 내쉬면서 두 눈과 그 주위의 근육들이 편안해지게 한다. 숨을 들이쉬면서 두 눈에게 미소를 지어주고, 숨을 내쉬면서 두 눈에게 사랑을 보낸다. 두 눈동자를 편히 쉬게 해준다. 숨을 들이쉬고 내쉬면서, 나의 두 눈이 얼마나 소중한 것인지를 생각해본다. 나의 두 눈은 내가 사랑하는 사람의 눈을 쳐다보게 해주고, 아름다운 석양을 감상하게 해주고, 글을 읽고 쓰게 해주고, 느긋하게 산책을 하게 해주고, 하늘을 나는 새들을 보게 해준다. 그 모든 놀랍고도 기쁜 것을 나는 두 눈이 있기 때문에 경험할 수 있었다. 두 눈이 나에게 있음을 감사히 여기고 편히 쉬게 해준다. 두 눈의 주위에 아직도 긴장이 남아 있다면 눈을 부드럽게 뜨면 완전히 풀어질 것이다.

‖ 마무리 동작

마지막으로, 숨을 들이쉬면서 지금 편안하게 누워 있는 나의 온몸을 다시 자각해본다. 숨을 내쉬면서 나의 몸 전체가 누워 있는 편안하고 느긋한 기분을 즐겨본다. 숨을 들이쉬면서 나의 몸 전체에게 미소를 지어주고, 숨을 내쉬면서 나의 몸 전체에게 사랑을 보내준다. 온몸의 모든 세포들이 기쁘게 미소짓는 것을 느껴본다. 온몸의 모든 세포들에게 고마운 마음을 느껴본다. 그리고 배가 천천히 솟구쳐올랐다가 가라앉는 것을 느껴본다.

우리 몸 어느 곳에 병이 들었거나 아플 때는 그 부위를 자각하고 거기에 사랑을 보낸다. 숨을 들이쉬면서 그 부위를 편안하게 해주고, 숨을 내쉬면서 지극한 사랑으로 미소를 지어준다. 나의 몸에는 아직 건강하고 튼튼한 곳이 훨씬 더 많다는 사실을 깨닫는다. 건강하고 튼튼한 부위들이 그 힘과 에너지를 병든 곳이나 아픈 곳에 보내주게 한다. 그 힘과 에너지와 사랑이 전해지는 것을 고스란히 느껴보자. 숨을 들이쉬면서 나의 몸을 스스로 치유할 능력이 내게는 있다는 것을 믿고, 숨을 내쉬면서 아직도 나의 마음속에 남아 있는 불안과 근심도 함께 내보낸다. 숨을 들이쉬고 내쉬면서 온전하지 못한 부위에게 사랑과 자신감의 미소를 지어주자.

만약 내가 다른 사람의 수련을 돕고 있으며, 즐거운 마음으로 그를 돕고 있다면, 그를 더욱 편안하게 해주기 위해서 나지막이 자장가를 불러주어도 좋을 것이다.

수련을 끝낼 때는, 천천히 기지개를 켜고 눈을 뜬다. 그리고 천천히, 차분하게 몸을 일으킨다. 그리고 그 동안에 몸 안에서 일어난 자각의 에너지와 차분해진 마음을 최대한 오래 유지하도록 노력한다.

옮긴이 | 최수민

성균관대학교 영문학과 졸업. 옮긴 책에 앨리스 워커의 《은밀한 기쁨을 간직하며》, J.B.W의 《마음을 다스리는 지혜》, 《불안으로부터의 해방》, 스티븐 킹의 《캐슬록의 비밀》, 《내 영혼의 아틀란티스》, 《총알차 타기》 외 다수가 있다.

화

지 은 이 | 틱낫한
옮 긴 이 | 최수민
초판 1쇄 발행 | 2002년 4월 3일
초판 108쇄 발행 | 2003년 9월 20일
펴 낸 이 | 안소연
출판 등록 | 1980년 2월 27일 · 제3-31호
펴 낸 곳 | 명진출판(주)
주 소 | 121-869 서울시 마포구 연남동 566-44번지
전 화 | (02)326-0026(代)
팩 스 | (02)326-0994

스태프
국내기획1팀 | 김태연
국내기획2팀 | 손인호
해외기획팀 | 이영지
편집1팀 | 김중석
편집2팀 | 황선영, 도은주
편집3팀 | 박정하
육아 · 교육팀 | 정은미
중국어팀 | 정영주
아동팀 | 안영훈
테스크포스팀 | 진철, 김인태
디자인팀 | 김미정, 김세란
프로모션팀 | 한상만
마케팅팀 | 이두호, 김현관, 조정현
경영지원팀 | 김선영, 이중흠, 신경선

· 인쇄 | 백왕인쇄 · 제본 | 정민제본 · 종이 | 화인페이퍼

● 책값은 뒤표지에 있습니다 ● 파본은 바꾸어 드립니다
● ISBN 89-7677-130-3 03810

명진출판(주)는 독자 여러분의 의견을 소중하게 생각합니다 · E-mail : myunggin@chol.com